ALS IK ER NIET MEER BEN

Serie 'Afscheid nemen'

Dit boek maakt deel uit van de serie *Afscheid nemen*, een reeks over thema's die te maken hebben met ernstig ziek zijn, doodgaan, afscheid nemen en rouwen. Er is een vrijwel parallel lopende serie *Zonder jou* die bestemd is voor kinderen.

De inhoud van de boeken is instructief en praktisch en vooral bedoeld om handvatten te bieden aan rouwenden zelf, ouders, leerkrachten en hulpverleners. Een ernstige ziekte, een naderend overlijden overvalt u meestal. U kunt behoefte hebben om u in te lezen terwijl de tijd om een dik boek te lezen ontbreekt. Waarschijnlijk zoekt u met name naar informatie die op dit moment van belang is. Daarvoor is deze serie in het leven geroepen. Wanneer u meer achtergrondinformatie wilt, kunt u in de literatuurlijst achterin titels vinden van diverse boeken.

Riet Fiddelaers-Jaspers

ALS IK ER NIET MEER BEN

Kinderen voorbereiden op het overlijden van hun ouder

Uitgeverij
Ten Have

© 2005, Uitgeverij Ten Have
Postbus 5018, 8260 GA Kampen
www.uitgeverijtenhave.nl
Omslag Garage/Peter Slager (BNO)
ISBN 90 259 5575 4
NUR 749

INHOUD

WOORD VOORAF

Ik heb 41 jaar een onbezorgd leven geleid waarin alles mogelijk leek en veel lukte. Alles veranderde op het moment dat ik een knobbeltje in mijn borst voelde. Na verschillende operaties en chemokuren ben ik bijna 5 jaar 'schoon' geweest en heb ik een normaal leven kunnen leiden. Ik had de hoop dat ik volledig genezen zou zijn toen plotseling de kanker weer terugkwam en uitgezaaid bleek. De huidige behandelingen slaan vooralsnog niet aan. De artsen zeggen dat ik 'binnenkort' doodga, ze zeggen er alleen niet bij hoelang dat 'binnenkort' is. Hoe leef ik met die wetenschap en hoe betrek ik mijn kinderen daarbij?

Ik heb vanaf het moment dat de kanker terug was en ik wist dat ik niet meer beter zou worden gevoeld dat ik in 'extra tijd' leef. Hoewel ik tot dan een druk en vol leven had, heb ik me vanaf dat moment voorgenomen om alleen nog die dingen te doen die voor mij zin hebben en me plezier en energie geven. Op deze manier lukt het me goed om nog steeds te kunnen genieten.

Niet alleen ik, maar ook mijn partner Ruud, en Floris en Krijn, mijn twee kinderen, moesten leven met deze wetenschap. Voor hen is deze periode net zo zwaar, misschien wel zwaarder. Zij moeten vaak toekijken en voelen zich machteloos, ik kan tenminste mijn eigen strijd nog voeren. Voor ons is openheid heel belangrijk, elkaar de ruimte en tijd bieden om ieder een eigen tempo en een eigen manier te kiezen in dit proces om met verdriet en pijn om te gaan. En niet te vergeten humor om de moeilijke momenten draaglijk te maken voor elkaar. Wat bij de verwerking van verdriet bij ons goed werkt is om ook (misschien zelfs wel juist) de kinderen een concrete taak te geven. Zo heeft Krijn, mijn jongste zoon van 17 voor mij een prachtige weblog ontwikkeld waardoor het voor mij mogelijk is om mijn familie, vrienden en kennissen op een hele snelle en makkelijke manier op de hoogte te houden van alles wat er met mij en ons gebeurt, echt een uitkomst. Krijn is nu mijn webmaster en beheert met veel verantwoordelijkheid én plezier de site.

Er zijn van die ogenblikken in het leven waarin er geen andere keuze mogelijk is dan alle controle laten varen, schreef de Braziliaanse schrijver Paulo Coelho in een van zijn boeken. Voor mij is deze periode zo'n ogenblik, voor mij is het een periode van loslaten en de controle laten varen, om uiteindelijk in overgave te kunnen gaan. Het levert me intens mooie momenten op met de mensen om me heen.

Het is niet dé manier maar wel mijn manier, onze manier, om met pijn, verdriet en afscheid om te gaan.

Jeanny, augustus 2005

Hoe ga je om met de dood? Kun je daarmee omgaan? En op welke manier dan?

Het antwoord hierop staat niet vast en zal nooit vast staan. Voor iedere persoon is het omgaan met de dood een persoonlijke ervaring, waarbij het voor anderen onmogelijk is om precies te weten wat deze persoon voelt. Voor mij geldt dat ik op zijn tijd de mogelijkheid wil hebben om mijn hart te luchten en ongegeneerd te kunnen huilen. Voor mij is openheid erg belangrijk. Maar wat voor mij geldt hoeft niet van toepassing te zijn op anderen.

In dit boek staan veel situaties beschreven met de dood als onderwerp van gesprek. Er staan voorbeelden in van de manier waarop wij er thuis mee omgaan, in open gesprekken met elkaar, elkaar steunen, en dit af en toe met humor doen. Het geeft een spontane indruk, het zijn geen vaste rituelen of een verplichting van: zo moet het. Het is voor iedereen persoonlijk hoe je omgaat met de moeilijkste fase van het leven: de dood.

Floris, zoon van een geweldige moeder

Dit boek is met name gebaseerd op de publicaties *Hoe vertel ik het mijn kinderen?* en *Jong verlies* en op de ervaringsverhalen van gezinnen. Bij sommige mocht ik een tijdje meelopen, voor mij een belangrijk leerproces. En natuurlijk heb ik veel gehad aan Jeanny, mijn sparring-partner. Niemand had me beter kunnen helpen bij het samenstellen van dit boek. Ik ben dankbaar dat ik van haar ervaring maar vooral van haar wijsheid gebruik mocht maken.

Riet Fiddelaers-Jaspers

1. ALS EEN VADER OF MOEDER ERNSTIG ZIEK WORDT

Als in een gezin vader of moeder levensbedreigend ziek wordt, dan wordt in feite het hele gezin ziek. Iedereen lijdt mee, niemand kan zijn gewone leventje voortzetten. Dat valt voor volwassenen niet mee maar voor kinderen is het helemaal moeilijk.

Hoe jonger kinderen zijn hoe meer rekening we moeten houden met hun specifieke wijze van denken, voelen en de behoeften die ze hebben. Bij kinderen is het denken nog in ontwikkeling, ze kunnen hun gevoelens minder goed onderscheiden, ze zijn zich nog volop psychisch en lichamelijk aan het ontwikkelen en hun ervaring met ziekte en overlijden is meestal nihil. Tegelijk zijn ze volkomen afhankelijk van de grote mensen om hen heen. Krijgen ze van hen informatie over wat er aan de hand is en betrekken ze hen bij wat er gebeurt?

Maar ook oudere kinderen en pubers hebben het zwaar. In de puberteit wordt al een grote wissel op hen getrokken. Er wordt verwacht dat ze zelfstandiger worden, een eigen vriendenkring ontwikkelen, zich langzaam meer losmaken van thuis. Dat lukt beter wanneer er thuis een stabiele situatie is. Hoe kun je je losmaken van je vader als diens ziekte ervoor zorgt dat hij zich langzaam maar zeker los-maakt van het leven? Hoe kun je een kamer gaan zoeken in een studentenstad als je verwacht dat je moeder binnenkort alleen is met je jongere broertjes en zusjes?

Je bent samen ziek en je kunt met z'n allen steeds dieper de put inzakken of het besluit nemen alles op alles te zetten om er als gezin sterker van te worden. Op deze manier kun je je kinderen met deze ervaring belangrijke lessen voor hun leven meegeven.

Voor kinderen is het belangrijk dat ze goed geïnformeerd worden en dat je dit in de loop van de gebeurtenissen blijft doen. Dat is belangrijk voor het vertrouwen dat de kinderen in jou hebben. Ze willen betrokken worden in de gang van zaken en waar mogelijk ook meepraten over beslissingen. Sommige besluiten zul je zelf moeten nemen, andere kun je heel goed in het gezin bespreekbaar maken.

Jouw kinderen hebben het ook nodig te weten dat dingen doorgaan. Wie neemt de dingen die jij nu doet over? Wie gaat er voor mij zorgen? Mag ik nog mee naar de Efteling met school als jij zo ziek bent? Kan ik gewoon mijn school afmaken, op kamers gaan en studeren? Is er nog geld om rijlessen te halen straks?

Tot slot hebben kinderen, nog meer dan normaal, liefde en aandacht nodig. Het is logisch dat je door de ziekte met je aandacht soms meer bij jezelf bent dan bij de opvoeding van de kinderen. Je hoeft ook niet alles zelf te doen. Soms kan je partner dingen overnemen en meer samen met de kinderen gaan doen maar ook anderen kunnen hierin betrokken worden zoals de juf van school, opa en oma of een buurvrouw of de moeder van een van de vriendjes.

Die hulp van buitenaf is heel belangrijk, zowel voor jezelf als voor je partner en kinderen. Dat geldt niet alleen voor de betrokkenheid van mensen en hun emotionele steun maar net zo goed voor de steun van praktische aard. Wie vangt de kinderen op als jij een afspraak hebt in het ziekenhuis? Wie smeert boterhammen als je de energie ontbreekt? Wie gaat er mee om nieuwe winterkleding te kopen? Wie komt af en toe helpen om het huis schoon te houden? Wie helpt bij technische klusjes?

Het is belangrijk om mensen om je heen te waarderen om de dingen die ze kunnen en willen doen. Je hebt hen hard nodig en zij hebben jou nodig om hun gevoel van machteloosheid in deze situatie te verminderen. Want jouw ziekte heeft niet alleen grote gevolgen voor je gezin, het heeft ook veel invloed op jouw omgeving. Dat levert je onverwachte geschenken op van mensen die er voor je zijn, van wie je dat wellicht niet had verwacht. Het geeft ook teleurstelling als mensen niet kunnen bieden wat je nodig hebt of zich in deze situatie net zo onuitstaanbaar gedragen als voorheen. Als jouw moeder altijd alle aandacht naar zich toegetrokken heeft dan is er een gerede kans dat ze dat nu ook doet en zich gedraagt alsof zij het grootste slachtoffer is. Dit gedrag vooraf incalculeren kan helpen.

Om het leven voor jou en jouw kinderen zo leefbaar en plezierig mogelijk te houden, is het belangrijk om je niet te richten op wat niet kan maar energie te steken in en te genieten van wat wel kan. Je kunt misschien niet meer samen met je zoon voetballen maar je hebt wel veel tijd om samen met hem naar voetbalwedstrijden op tv te kijken of een voetbalspel op de computer te spelen. Het is niet jouw eerste keus maar de 'op een na beste optie' is ook een optie. Het is een keuze in het ervaren van de machteloosheid van dingen die niet meer kunnen en het gevoel van controle ervaren bij dingen die je nog wel kunt. Dan kun je ook beter de gevoelens van boosheid en machteloosheid van je kinderen aan.

Tijdens het avondeten schuift Geerten zijn bord boos weg: 'Papa kan geen eten koken, het is vies!'. Mama grijpt in: 'Ik snap dat je het niet fijn vindt dat ik ziek ben en daarom niet kan koken. Maar jij hebt eten nodig anders kun je dadelijk niet voetballen. En je hebt een mama nodig die probeert om weer beter te worden, dus zul je het met het eten van papa moeten doen of je dat nu lekker vindt of niet.'

Vaak gaat het niet eens om het eten maar om het onderliggende gevoel van verdriet omdat je ziek bent, boosheid omdat de dingen niet meer hetzelfde zijn als voorheen of angst dat jij misschien dood gaat. Ook pubers kunnen het moeilijk hebben. Zij hebben een groter perspectief en kijken terug naar dingen die gebeurd zijn en niet meer veranderd kunnen worden en beseffen beter wat het voor de toekomst gaat betekenen.

Aan tafel kregen we een gesprek over het soort moeder dat ik geweest ben voor ze. Krijn bracht dit onderwerp ter sprake en het was voor hem een worsteling. Ik ben altijd iemand geweest die veel gewerkt heeft en weinig thuis was, dat klopt. Dat beeld zit ook zo in zijn hoofd. Zijn beeld van mij was dat ik om 19.00 uur hijgend binnen kwam rennen, meestal net te laat voor het begin van de maaltijd, mijn telefoon nog aan mijn oor, druk, druk, druk. Nu vind ik dat beeld wel enigszins overtrokken, maar een kern van waarheid zit er zeker in. Ik begreep op dat moment ook hoe boos hij moest zijn, maar het voelde heel naar en erg verdrietig voor mij. Hoe hard het ook aankwam, ik was wel heel erg blij dat hij dit heeft kunnen vertellen.

(Jeanny over haar 17-jarige zoon Krijn.)

2. HOE VERTEL IK HET MIJN KINDEREN?

Wanneer je van de artsen te horen krijgt dat jij of je partner een levensbedreigende ziekte heeft en mogelijk of misschien zelfs zeker binnen afzienbare tijd gaat overlijden, dan sta je voor de moeilijke opgave dit slechte nieuws aan je kinderen te vertellen. Je bent ontdaan door de boodschap en tegelijk moet je vrij zakelijk een aantal dingen op een rij zetten alvorens de kinderen in te lichten. Je moet onder andere beslissen over:
– wie het gaat vertellen;
– wanneer de informatie gegeven wordt;
– hoe de boodschap verteld wordt;
– wat er gezegd wordt;
– welke woorden en uitleg het beste gebruikt kunnen worden;
– of het aan de kinderen samen verteld wordt of dat het beter is hen apart te nemen;
– wie de kinderen het beste na de boodschap kan opvangen;
– enzovoort.

Steeds weer moet je, bij elk van je kinderen, voor ogen houden hoe oud het kind is, welke levenswijsheid het al opgedaan heeft, de wijze waarop het met informatie en met emoties omgaat en hoe dit kind qua karakter in elkaar zit.

Kinderen kunnen zeer verschillend reageren. Zoals de kinderen van Jan toen hij hen moest vertellen dat hij leukemie had.

Het overbrengen van die boodschap was aanmerkelijk zwaarder en pijnlijker dan de beenmergpunctie en de botafname de volgende dag. Het is ontroerend hoe kinderen op zulke situaties kunnen reageren. Laurien, mijn dochter van zeven, stond even aan de grond genageld en ging vervolgens allemaal verwenspulletjes voor me pakken: de walkman en dat soort dingen. Jan en Karin, van 14 en 12 reageerden stilletjes. Ze gingen naar hun kamer en even later klonk de stem van Kurt Cobain door het huis.

(Uit: *Berichten aan de buitenwereld.*)

Wie vertelt de boodschap?

Bij voorkeur krijgen de kinderen van degenen die hen het meest vertrouwd zijn, hun ouder(s), te horen wat er aan de hand is. Laat het, zo mogelijk, niet over aan iemand anders, zelfs niet aan de arts. Wel is het goed om met de arts door te spreken op welke manier en met welke woorden je het beste de kinderen kunt informeren. En als je het te moeilijk vindt of onzeker bent of je het op de juiste manier zult doen, is het een goed idee om te vragen of de arts of een andere deskundige erbij wil zijn. Zodat hij of zij je eventueel aan kan vullen of het desnoods overneemt als het nodig mocht zijn. Bij latere gesprekken waarin de arts je verder informeert over wat er gaat gebeuren, kunnen de kinderen aanwezig zijn als jij en de kinderen dat willen. Het is belangrijk dat de arts rekening houdt met de kinderen en hen aanspreekt in begrijpelijke taal. Een speciale afspraak met de dokter om aan de kinderen uit te leggen wat er aan de hand is, is natuurlijk helemaal prettig.

Mijn vader had een herseninfarct toen ik twaalf jaar oud was. Totale paniek was dat, ik wist absoluut niet wat het inhield en al helemaal niet wat er komen zou. Geen van de artsen die mijn vader behandelden, heeft ooit de tijd genomen om met mijn broer en mij te praten. Alles ging via mijn ouders, alsof ik er niets mee te maken had.

Mijn moeder hield ons wel steeds op de hoogte, maar er echt over praten kon ik niet, met niemand. Je ziet wat je moeder doormaakt en je wilt haar niet nog meer belasten, dus heb ik alles opgekropt.

(Jantien (18 jaar) in *Kon ik toveren...*)

Kinderen vertrouwen hun ouders en juist door open en eerlijk tegen kinderen te zijn, ervaren ze dat dit vertrouwen niet beschaamd wordt. Jullie gaan samen nog een moeilijke tijd tegemoet en jij legt hier nu de basis voor.

Wanneer vertel je het aan de kinderen?

Het juiste tijdstip kiezen om de kinderen te informeren is lastig omdat iedere situatie weer anders is. Het hangt onder andere af van wat er onmiddellijk merkbaar zal zijn voor de kinderen. Moet je meteen opgenomen worden of krijg je een intensieve behandeling, dan zullen de kinderen meteen op de hoogte gebracht moeten worden. Wanneer er nog weinig duidelijkheid is en je in afwachting bent van de resultaten van de onderzoeken dan kun je misschien nog even wachten. Oudere kinderen, zoals pubers, kun je niet lang in het ongewisse laten. Ze merken veel op en willen ook serieus behandeld worden. Maar ook jonge kinderen vangen veel meer op dan je in eerste instantie in de gaten hebt. Ze hebben een soort antenne voor spanning, emotie, dingen die anders lopen of niet kloppen. Ze horen flarden van (telefoon)gesprekken, zien reacties van de mensen die op bezoek komen en merken dat je mogelijk anders reageert dan normaal. Wanneer ze daar de vinger niet op kunnen leggen, worden ze onzeker en bang. Te weten wat er aan de hand is, hoe erg ook, is voor hen vaak prettiger dan ernaar te moeten gissen.

Vertellen dat je ernstig ziek bent is één ding, maar

wanneer vertel je dat je niet meer beter kunt worden en gaat overlijden? Het lastige is dat daar geen eenduidig antwoord op te geven is, wel een aantal overwegingen op basis waarvan jij het naar jouw gevoel beste moment moet bepalen.

Tijd wordt door kinderen anders beleefd dan door volwassenen. Wanneer je te horen krijgt dat de levensverwachting nog twee tot drie maanden is, dan is dat tijdsperspectief erg kort. Toch bestaat de kans wanneer je aan jonge kinderen verteld dat jij of jouw partner binnenkort doodgaat, ze na twee weken vragen wanneer dat nu eindelijk gaat gebeuren. Twee weken is voor hen al lang, een langere periode kunnen ze niet overzien. Zoals ze de dagen tot het sinterklaasfeest of hun verjaardag aftellen, zo beleven ze ook het wachten op het moment dat hun papa of mama dood zal gaan. Dus moet je het niet te lang van te voren vertellen maar wel lang genoeg voor hen om voorbereid te zijn en afscheid te kunnen nemen.

De vader van Coen en Joost heeft leukemie en ligt in het ziekenhuis als hij te horen krijgt dat hij nog maar enkele weken te leven heeft. Hij besluit dat hij thuis wil sterven. Op de dag dat hij thuiskomt, vertelt hij zijn zoontjes van vijf en zeven dat hij niet lang meer te leven heeft. Geheel tegen de verwachting in sterft hij datzelfde weekend al. De zevenjarige Coen heeft het daar erg moeilijk mee en vraagt regelmatig aan zijn moeder waarom hem niet eerder verteld is dat papa dood zou gaan.

Uit dit voorbeeld blijkt dat de beste bedoelingen soms ingehaald worden door de (onverwachte) realiteit.

Wanneer je wilt wachten met vertellen aan de kinderen moet je er voor zorgen dat ze het ook niet van een ander horen, want ze hebben er recht op het van jou te horen.

Marjan heeft borstkanker en de boodschap gekregen dat ze nog vier tot zes maanden te leven heeft. Samen met haar man Huub besluit ze nog even te wachten om dit aan haar kinderen Luuk van 8 en Jolijn van 6 te vertellen. De familie, vrienden en de leerkrachten op school krijgen het slechte nieuws wel te horen maar worden nadrukkelijk gevraagd om er nog niet met de kinderen over te spreken. Dat willen Marjan en Huub zelf doen op een moment dat ze zo goed mogelijk zullen bepalen.

Wanneer je een slechte prognose hebt en bijvoorbeeld nog slechts een half jaar tot een jaar te leven hebt, heb je misschien het idee dat je geen goede ouder meer kunt zijn omdat de ziekte zo op de voorgrond staat en je weinig tijd gegeven is voor je kinderen. Vanuit het perspectief van jonge kinderen is een jaar echter heel erg lang. Hun timing is heel anders. Ze kunnen in dat jaar nog veel met jou meemaken en jij kunt zien hoe snel ze zich ontwikkelen op jonge leeftijd. Ze groeien diverse centimeters, ze leren nieuwe woorden, worden vaardiger op allerlei gebied, kortom ook in een jaar kun je samen veel meemaken. Kijken naar wat dat jaar nog te bieden heeft, is hoopvoller dan te focussen op wat er allemaal niet meer zal zijn.

Hoe ouder kinderen zijn hoe beter ze een tijdsperiode kunnen overzien. Bij pubers is dat vermogen hetzelfde als bij volwassenen. Soms kiezen ouders ervoor om toch nog even te wachten met het fatale bericht om de hoop van de kinderen nog niet weg te nemen.

Maria heeft longkanker. Ook zij heeft het bericht gekregen dat er niets meer aan te doen is omdat de behandelingen niet aanslaan. Haar kinderen van 16 en 19 weten dit. Dan blijkt er in een academisch ziekenhuis een arts te zijn die met een andere behandelmethode mogelijk nog iets kan bereiken. Dochter Noortje van 19 klampt zich hier helemaal aan vast en heeft weer hoop. Na de eerste vreugde over het feit dat er mogelijkheden zijn, is voor Maria al snel duidelijk dat ook deze methode geen oplossing zal bieden. Ze kiest er echter voor om dit niet meteen tegen Noortje te zeggen zodat zij haar hoop nog even kan houden. Ze zit net voor een aantal tentamens en heeft hier al haar energie voor nodig.

Noortje 'weet' het in feite ook maar laat het nog niet tot zich doordringen, ook zij wil haar hoop nog even koesteren.

In het bovenstaande voorbeeld heeft de arts die de second opinion deed nog geen definitieve uitspraak gedaan en 'liegt' Maria haar dochter dus niet voor. Wanneer Noortje haar rechtstreeks gevraagd zou hebben wat haar mening was, zou ze verteld hebben dat ze niets meer verwachtte van de alternatieve behandeling.

Eerlijkheid

Hoe moeilijk de waarheid ook kan zijn, liegen is nooit een optie. Het effect is altijd averechts: je schaadt het vertrouwen van je kinderen. Als ze een-maal gemerkt hebben dat je een leugen hebt verteld, zullen ze voortaan twijfelen of je wel de hele waar-heid vertelt. Als de afloop van jouw ziekte zeer onze-ker is en de prognose slecht en een van de kinderen vraagt: 'Jij wordt toch beter, mama?' dan kun je dit niet beloven. Je kunt wel zeggen dat je het niet weet maar er alles aan zult doen om beter te worden en dat de dokters hierbij zullen helpen. Eerlijkheid is belangrijk, anderzijds hoef je niet alle (pijnlijke) details te vertellen.

Sommige ouders kiezen ervoor hun kinderen altijd de waarheid te vertellen ook al lijkt het moment zeer ongelukkig te zijn. Zoals Jeanny, getrouwd met Ruud en moeder van de inmiddels twintigjarige Floris en de zeventienjarige Krijn (zie haar Woord vooraf, p. 7-8). Ze kreeg zes jaar geleden te horen dat ze een kwaadaardige tumor in de borst had. De kanker bleek uitgezaaid in de lymfeklieren dus een borstbesparende operatie zat er niet in. De daarop volgende chemokuur sloeg goed aan en langzaam maar zeker pakt Jeanny het leven weer op, zowel thuis als op het werk. Er volgt een borstreconstructie en Jeanny is bezig met het organiseren van haar 5-jaar kankervrij feest als blijkt dat de kanker terug is en er uitzaaiingen zijn in haar ruggenwervels.

Ik realiseerde me dat deze terugkeer betekende dat ik niet meer beter zou worden en aan kanker zou sterven. Dat besef was heel sterk. (...) Krijn zat in Amerika en zou daar nog tot juni blijven. We hebben overwogen om hem terug te laten keren naar Nederland, maar omdat we niet wisten hoe progressief de ziekte zou verlopen hebben we via de mail en telefoon met hem afgesproken om toch in Amerika te blijven.

Vanaf dat moment heb ik wel besloten om elke uitslag, elk onderzoek zo open mogelijk met de kinderen te bespreken, hoe moeilijk ook. Floris zat op

dat moment vlak voor zijn eindexamen gymnasium,
hij is slim maar heeft moeite met lang studeren, ik
wist dat het voor hem een hele kluif zou worden,
maar het leek me nog zwaarder om hem achteraf
dingen te vertellen. (...)

Kunnen er momenten zijn die slechter uitkomen: één
kind in Amerika, het andere studerend voor het eindexamen? Toch kiest Jeanny er bewust voor haar
zonen meteen en volledig in te lichten omdat zij be-
seft dat haar kinderen het haar, ondanks de omstandigheden, anders achteraf mogelijk kwalijk zullen
nemen dat ze als (bijna) volwassen zonen niet serieus
genomen zijn.

Hoe vertel je de boodschap?

Zoek een rustig moment en een rustige, vertrouwde
plek voor de kinderen. Dat kan in de huiskamer zijn
of aan de keukentafel maar ook op de kamer van
het kind zelf. Ergens waar je elkaar kunt vasthouden
en troosten, waar je de kleine kinderen op schoot
kunt pakken en knuffelen. Je hoeft niet bang te zijn
voor je eigen emoties want je hoeft je eigen verdriet
niet te verbergen. Als je overstuur bent, kun je beter
wachten tot een moment waarop je weer rustiger
bent, maar kinderen mogen best zien dat je verdriet
hebt. Zo leren ze dat verdriet bij het leven hoort,
ook bij het leven van grote mensen. Maak contact,

bijvoorbeeld oogcontact of een aanraking. Begin met een inleidende zin om het kind gericht te laten luisteren. Leg eventueel een verband met iets dat ze al weten.

'Je weet dat papa naar de dokter moest in het ziekenhuis. Deze heeft ons een slecht bericht gegeven…'

'Ik vind het heel moeilijk om je het volgende te vertellen. Je weet dat ik me al een tijdje niet lekker voel…'

'Je weet dat mama naar de dokter moest omdat ze zich steeds zo moe voelde…'

Dan volgt de boodschap, kort en krachtig zonder er omheen te draaien. Het is niet nodig een lang verhaal te vertellen. Kinderen zijn door de schok de meeste informatie meteen weer kwijt. Het gaat erom dat de boodschap overkomt en dat ze de kans krijgen deze tot zich door te laten dringen. Ze vragen zelf wel om nadere uitleg op het moment dat ze daaraan toe zijn. Ieder kind verwerkt de schok op zijn of haar eigen manier. Sommigen zijn met stomheid geslagen en vluchten naar hun kamer, anderen willen dingen weten, weer anderen worden ontzettend boos of barsten in tranen uit. Geef hen de ruimte maar probeer in contact te blijven. De uitingsvormen maskeren vaak de onderliggende gevoelens van angst, wanhoop, pijn en verwarring. Probeer in aanraking te komen met die onderliggende gevoelens en ze te benoemen.

Wat vertel je aan de kinderen?

Nadat je aan de kinderen verteld hebt dat de ziekte zeer ernstig is en je (mogelijk) de gevolgen ervan niet zult overleven, kom je op enig moment toe aan het geven van meer informatie. Het volgende is daarbij belangrijk.

– Probeer de informatie steeds goed te doseren. Geef niet teveel maar ook niet te weinig informatie. Dat doe je door tijdens het praten voortdurend contact te houden met het kind. Soms moet je het expliciet vragen: 'Wil je dat ik nog meer vertel? Of is het genoeg voor nu en praten we een andere keer verder?'

– Geef in ieder geval genoeg informatie om de onrust en de onzekerheid te verminderen. Niet weten maar wel vermoeden is vaak erger dan de waarheid horen. Kinderen 'weten' ten diepste vaak veel meer dan je vermoedt.

– Geef kinderen de garantie dat je hen goed op de hoogte houdt en niet zult liegen. Stimuleer hen om altijd bij je te komen als ze vragen hebben. Met andere woorden, vertel hen dat zij als meest betrokkenen zeer serieus genomen worden.

– Neem stap voor stap door wat er de komende tijd gaat gebeuren zowel praktisch gezien in huis als op medisch gebied. Wat is er te verwachten aan zorg en opvang in huis, aan behandelingen en ziekenhuisopnamen. Wanneer duidelijk is dat het overlijden niet lang op zich laat wachten, moet ook daarop ingegaan worden en keuzemomenten rond het overlijden besproken worden. Meestal kan dat niet in één gesprek omdat het nogal wat emotionele energie vergt om te praten over beslissingen zoals waar je de laatste periode van je leven zult doorbrengen (thuis, hospice, verpleeghuis, ziekenhuis), over stopzetten van behandelingen of euthanasie, of je na je dood thuis blijft of naar een uitvaartcentrum gaat, of je begraven of gecremeerd wilt worden. Ook in het gezin van Jeanny kostte dit veel energie.

Ik was bang dat de tumoren in mijn hoofd zouden zitten. (...) Op dat moment was het voor mij duidelijk dat ik moest regelen tot hoever ik behandeld wenste te worden. Als ik dat niet zou doen, zou euthanasie veel moeilijker worden. Ik heb daar eerst met Ruud over gesproken en daarna met Ruud en de kinderen. Ik heb mijn wensen aan hen voorgelegd, voor Krijn was dit heel moeilijk. Hij kon het eigenlijk niet aan. Floris heeft toen over elk punt in de verklaringen opheldering gevraagd, zodat ook zijn jongste broer zou horen en zou weten wat er stond. Dat werkte uiteindelijk goed.

Leg uit dat er voor de kinderen gezorgd gaat worden, zowel in de periode van ziekte als daarna. Voor kinderen is het belangrijk dat dingen doorgaan, ook de dingen die jij normaal met hen deed. Ze willen hierin gerustgesteld worden.

Welke woorden gebruik je?

De wijze waarop je de informatie geeft, moet aangepast zijn aan de leeftijd en de verstandelijke vermogens van het kind. Bij diverse patiëntenverenigingen is informatie beschikbaar om de ziekte, de verschijnselen en de behandeling uit te leggen in eenvoudige bewoordingen. Een voorbeeld hiervan is KNKR-WRDNBK *(Kankerwoordenboek)* gemaakt in opdracht van de Nederlandse Kankerbestrijding/Koningin Wilhelminafonds (KWF). Zo wordt bijvoorbeeld chemotherapie uitgelegd:

Chemotherapie is een ander woord voor medicijnen tegen kanker. Die medicijnen zorgen ervoor dat de kankercellen zich niet meer kunnen delen en dus ook niet meer kunnen groeien. Het vervelende is dat ze ook gezonde cellen doodmaken. Maag- en darmcellen bijvoorbeeld of haarwortelcellen. Het kan dus zijn dat je vader of moeder misselijk, kaal of moe wordt. Gelukkig gaan bijna alle bijwerkingen weer over als de chemotherapie stopt. Alleen blijven veel mensen nog heel lang moe.
(Uit: KNKRWRDNBK.)

Ook internet biedt veel ingangen. Veel kinderen vinden het prettig om hier zelf informatie op te zoeken. Een goed voorbeeld is *www.kankerspoken.nl*. Er is voor diverse leeftijdsgroepen informatie beschikbaar. Op deze site wordt op de volgende manier aan kinderen tot negen jaar uitgelegd wat kanker is.

Als je wilt weten hoe kanker ontstaat, moet je eerst weten dat je lichaam helemaal uit cellen bestaat. Je kunt ze vergelijken met de stenen van een huis. Hoe meer stenen, hoe groter het huis. Zo is het ook met het menselijk lichaam, overal zitten cellen en celletjes. Omdat de cellen zich kunnen delen, komen er elke dag een heleboel bij. Ook gaan er elke dag een heleboel dood. Dat moet ook, anders zou je er veel te veel krijgen.

Bij kanker gaat er iets mis met die cellen. Er komen er plotseling veel te veel bij. De cellen delen en delen maar. Het houdt niet op. Ze gaan op een kluitje zitten en veranderen van goede cellen in slechte cellen. En dat is erg gevaarlijk. Ook omdat ze soms niet op hun plaats blijven zitten en andere plekjes gaan opzoeken. Er moet dus iets aan worden gedaan!

(Bron: kankerspoken.nl)

Aan pubers wordt dezelfde informatie in andere bewoordingen gegeven. We citeren het laatste stukje.

*Kanker is zoiets als een fout in de computer. De cel-
deling slaat op hol. Er worden opeens veel te veel cellen aangemaakt, waardoor er geen evenwicht meer
is. Het lichaam kan het niet meer bijhouden.*

*Cellen gaan hun eigen leven leiden, klonteren
samen, groeien ongehinderd door en veranderen van
normale, gezonde cellen in kankercellen.*

*De computer loopt vast. Er moet dus iets aan
gedaan worden. Doe je dat niet, dan krijgen de cellen de kans zich te verspreiden en zal je vader of
moeder uiteindelijk doodgaan.*

(Bron: kankerspoken.nl)

Achterin dit boekje is een lijst te vinden met adressen
van websites waar je mogelijk handvatten vindt om
aan kinderen uit te leggen wat er aan de hand is.

Drie vragen

Bij het informeren van de kinderen kan het handig
zijn om de volgende drie vragen in het achterhoofd
te houden.

– Wat moet mijn kind weten?

Dit betreft informatie die voor jouw kind van belang
is om te begrijpen wat er gebeurt, wat er komen gaat,
waarom dingen plaatsvinden en wat er van hem of
haar verwacht wordt. Hoewel je zelf waarschijnlijk
ook een onbekend gebied binnengaat ben je door

jouw levenservaring al meer bekend met de gang van zaken bij artsen, het ziekenhuis, hoe de omgeving reageert wanneer ze te maken krijgt met een ernstige ziekte of een aanstaand overlijden en met de gang van zaken bij overlijden en uitvaart. Voor kinderen is het meestal helemaal nieuw en soms hebben ze vragen over dingen waar wij als volwassenen niet eens meer bij stilstaan omdat we ze vanzelfsprekend vinden. 'Ik dacht dat die mevrouw ook zou koken en mij naar bed zou brengen' is hun verbaasde reactie als de hulp van de thuiszorg 's morgens na het wassen van mama weer vertrekt.

Sommige vragen kunnen ze niet verzinnen omdat ze nog geen ervaring met de omstandigheden hebben. Je merkt hun verbazing wanneer ze in aanraking komen met feiten en gebeurtenissen. Dat mensen niet alleen cadeautjes geven bij een feest maar ook als iemand ziek is. Dat er zoveel kaarten worden gestuurd. Dat de dokter heeft gezegd dat papa dood kan gaan maar dat daar helemaal nog niets van te zien is. Dat er een bed in de kamer komt te staan dat omhoog en omlaag kan.

– *Wat kan mijn kind weten?*
Hoe jonger kinderen zijn, hoe minder hun verstandelijke vermogens ontwikkeld zijn. Daarom is het belangrijk om bij het uitleggen van wat er gaat gebeuren woorden te gebruiken die bij de leeftijd van het

kind passen en die ze kunnen begrijpen. Die woorden zijn bij een driejarige anders dan bij een twaalfjarige.

Neem kinderen daarbij serieus en geef hen de informatie waar ze niet alleen recht op hebben maar die ze ook nodig hebben om dingen te kunnen begrijpen. Gebruik geen woorden die het zachter en mooier maken zoals 'papa is een beetje ziek,' maar zeg bij kleine kinderen dat het lichaam van papa van binnen helemaal stuk is en dat zelfs de allerbeste dokter het niet meer beter kan maken. Ben niet bang om woorden te gebruiken als kanker en doodgaan, dat maakt het voor kinderen duidelijker.

Met hun beperkte verstandelijke vermogens en beperkte ervaring begrijpen ze gebeurtenissen soms anders dan volwassenen. Het is niet eenvoudig om je te verplaatsen in de gedachten van kinderen en zo uitleg te geven. Ze kunnen bijvoorbeeld de conclusie trekken dat iedereen die kaal is kanker heeft. Of dat opname in het ziekenhuis betekent dat je dood gaat omdat hun enige ervaring met het ziekenhuis is dat opa daar is gestorven toen hij ziek was.

– Wat wil mijn kind weten?
Kinderen verschillen op het punt van wat ze willen weten. De een wil alleen het hoognodige weten en eigenlijk zelfs dat nog niet, de ander wil alles weten en blijft vragen stellen. Wanneer je meer kinderen hebt, moet je rekening houden met hun verschillende

34

behoeften. Soms stelt je kind vragen waardoor je tegen je eigen grenzen aanloopt omdat ze gaan over dingen waarover jij (nog) niet hebt kunnen of willen denken, laat staan dat je ze wilt uitspreken. Vraag gerust meer tijd en kom er op een andere tijdstip op terug wanneer je er meer op voorbereid bent.

Bij kinderen die het liefst hun vingers in hun oren willen stoppen en niets willen horen is het van belang een veilige omgeving te scheppen en hen uit te leggen dat zij het belangrijkste zijn in je leven en dat zij er daarom recht op hebben om de dingen van jou zelf te horen. Want anders zou het kunnen gebeuren dat ze van vriendjes of op school te horen krijgen wat er precies aan de hand is en dat is nog minder plezierig. Beperk je vervolgens tot de meest noodzakelijke informatie. Misschien komen ze er zelf op een bepaald moment op terug.

Voor het beantwoorden van vragen van kinderen geven we de volgende tips:
– laat je niet door angst leiden, kinderen vragen meestal niet meer dan ze op dat moment aankunnen;
– geef zo mogelijk antwoord op al hun vragen;
– soms is het goed even door te vragen.
    o   Weet je zeker dat je dit wilt weten?
    o   Wat wil je precies weten?
    o   Hoe denk jij er over? Wat wil jij zelf?

- verzin niets als je het niet weet maar ben eerlijk of beloof dat je het op zult zoeken;
- beperk je in je antwoord tot wat ze vragen en ga geen uitgebreid verhaal houden. Ze komen weer bij je terug als ze meer willen weten.

3. BALANCEREN TUSSEN JE EIGEN BEHOEFTEN EN DIE VAN JE KINDEREN

Als je ernstig ziek bent, veranderen je behoeften. De een heeft behoefte aan rust, de ander gaat verwoed bezig met alles wat hij nog ooit had willen doen in zijn leven. Eindelijk die foto's van de kinderen inplakken die al jaren in een doos zitten, de studie afmaken, toch die lang gewenste reis naar Rome maken. Prioriteiten verschuiven, je maakt bewust keuzes tussen wat je wel en niet wilt of kunt doen.

Jouw behoeften zullen niet altijd parallel lopen met die van je kinderen. Het is balanceren tussen jouw eigen behoeften en die van je kinderen en daarin een evenwicht vinden.

Wat zijn de behoeften van kinderen in deze situatie?

– Zo weinig mogelijk verandering in de gang van zaken in huis.
Kinderen hebben houvast aan vaste patronen. Waar mogelijk kun je hieraan tegemoet komen. Dat betekent bijvoorbeeld zoveel mogelijk vaste eettijden, op tijd naar bed, het reguleren van het bezoek zodat er

ook rustige momenten in huis zijn, vasthouden van gewoonten en rituelen zoals op zaterdagavond met cola en chips voor de tv zitten met het hele gezin. Door jouw ziekte zal dit niet altijd lukken maar je kunt er wel naar streven om het zoveel mogelijk te benaderen. Daarvoor moeten soms hulptroepen van buitenaf ingeschakeld worden zoals familieleden en vrienden. Ook de school van de kinderen heeft een belangrijke rol in het creëren van een stabiele omgeving. Kinderen ervaren de school vaak als een veilige plek omdat daar nog alles hetzelfde is. Het gezin van een vriendje kan ook zo'n veilige plek zijn waar ze even niet bezig hoeven zijn met de situatie thuis.

– Zoveel mogelijk door laten gaan van dingen waar kinderen aan hechten
Als je vader ziek is en je mag dan ook nog niet naar een feestje dan is dat dubbel erg. Kinderen blijven in de eerste plaats kinderen, ze hebben graag plezier. Dus willen ze graag mee op schoolreisje, moeten er toch pakjes zijn op het sinterklaasfeest, willen ze trakteren op hun verjaardag en willen ze gewoon naar streetdance of naar de discotheek tot diep in de nacht ook al hebben ze net gehoord dat mama niet meer beter wordt. Het is geen ongevoeligheid van kinderen en jongeren, het is hun gezonde overlevingsstrategie.

– Duidelijkheid en structuur

Een zieke ouder is geen vrijbrief voor alles mogen. Ook kinderen van ernstig zieke ouders zijn gebaat bij duidelijke regels. Ze worden door de omgeving vaak verwend omdat het zo 'zielig' is. Je helpt kinderen niet door in alles toe te geven, dan voed je ze op in 'aangeleerde hulpeloosheid' of tot mensen die in alles altijd hun zin moeten hebben en geen rekening houden met anderen. Natuurlijk hebben ze aandacht en liefde nodig maar dit hoeft niet haaks te staan op duidelijke regels.

Tijdens mijn eerste chemotherapie heb ik gemerkt dat mijn kinderen erbij gebaat waren als ik vastberaden was. Zij probeerden af en toe een beroep op mijn geweten te doen als een uitje naar de film niet door kon gaan, in de hoop dat ik overstag zou gaan. Ik hield hen dan voor: 'Het is niet leuk, maar het is geen kwestie van wel of niet naar de film gaan. Aan jullie is de keuze of je gaat zitten mokken of iets anders leuks verzint wat je hier thuis kunt doen.'

(Wendy Schlessel Harpham in: Hoe vertel ik 't mijn kinderen?)

– Open en duidelijke communicatie

Deze behoefte vormt een rode draad door dit boek. Kinderen willen geïnformeerd worden over de gang van zaken. Ze zijn gebaat met een open communicatie in het gezin. Ze hebben behoefte aan een omgeving waar alles gezegd en gevraagd kan worden, hoewel ze er niet altijd gebruik van zullen maken.

De behoeften van kinderen komen ook terug in de volgende drie vragen waarin ze om geruststelling vragen.

– Kan ik er iets aan doen?
Als papa of mama ziek worden, kunnen kinderen zich schuldig voelen. Had ik mama niet meer moeten helpen? Ben ik wel altijd lief geweest? Waarom heb ik ruzie gemaakt met papa?

Schuif schuldvragen van kinderen niet aan de kant. Erken dat deze vragen bestaan, biedt kinderen een luisterend oor, praat erover. Ze blijven er dan niet alleen mee zitten en kunnen hun schuldgevoel een plaats geven.

– Word ik ook ziek?
Een ernstige ziekte van iemand in het gezin kan bij kinderen angstgevoelens oproepen. Ziekte en dood komen heel dichtbij. Kinderen realiseren zich plotseling dat dit hen ook kan overkomen. Zelfs kinderen krijgen kanker. Ik heb steeds last met slikken, zou ik net als papa slokdarmkanker hebben? Ik ben zo moe als ik gevoetbald heb, krijg ik nu ook MS? Is het besmettelijk? Is het erfelijk?

Soms heb ik jeuk en dan ga ik krabben. En soms heb
ik pijn in mijn oog en pijn in mijn buik. Dat had
papa ook. Dan denk ik dat het van de kanker komt.
Het is gelukkig niet zo, maar soms denk ik het wel.
    (Madeleine, 7 jaar in: *Ik krijg tranen in mijn ogen*
als ik aan je denk)

De angst van kinderen gaat verder: het kan blijkbaar
iedereen gebeuren. Ze worden bezorgd over de
gezonde ouder en zijn bang dat anderen van wie ze
houden ook ziek worden. Vaak zien we scheidings-
angst of is het een drama wanneer papa of mama het
kind op school aflevert.

– *Wie gaat er nu voor mij zorgen?*
Hoe gaat het nu verder, vragen kinderen zich af,
wanneer mijn papa of mama straks dood is? Wie
gaat er dan geld verdienen? Wie gaat met mij naar de
kapper? Wie gaat er dan met mij stoeien? Gaan we
nog wel op vakantie? Wie zal er eten koken? Wie
doet al die papa-dingen in huis? En als jij nou ook
dood gaat, wat dan?
    Dergelijke vragen worden niet altijd hardop uitge-
sproken. Kinderen voelen vaak intuïtief dat niet alle
momenten geschikt zijn om thuis met deze vragen aan
te komen en ontzien onbewust hun ouder(s). Het is
fijn als ze met hun verhaal en hun vragen bij een oom,
tante, grootouder, leerkracht, buurvrouw of ouder

van een vriendje terecht kunnen. Je hoeft als ouder niet het gevoel te hebben dat je tekort schiet als je kind met zijn verhaal naar een andere vertrouwens-persoon gaat. Het is fijn wanneer er iemand is die jou kan ondersteunen in de opvang. De meeste kinderen kunnen hun verhaal beter kwijt aan iemand die iets meer afstand heeft en daarom persoonlijk ook minder betrokken is. Dan hoeft het kind minder rekening te houden met de gevoelens van deze volwassene. Ga in een gesprek met het kind na of hij met vragen zit en of hij hierover kan en wil praten. Vraag of er iemand is met wie hij wel kan of wil praten.

Wat zijn jouw behoeften?

Tegemoet komen aan de behoeften van kinderen zoals hiervoor beschreven, vergt op sommige mo-menten behoorlijk wat energie. Soms is het gemakke-lijker om het maar even te laten lopen en je niet al teveel aan te trekken van de normale bedtijd van de kinderen. Natuurlijk is dat voor een keer niet erg maar in het algemeen is het van belang om, met ondersteuning van anderen zoals je partner, zorg te dragen voor deze behoeften.

Als je je hele leven vooral gericht bent geweest op het zorgen voor anderen of het prettig vindt om tege-moet te komen aan wensen van anderen om je heen, dan is het niet eenvoudig om nu de omslag te maken en steeds goed bij jezelf na te gaan wat je zelf wilt.

Marjan wil in de komende periode graag veel tijd met haar kinderen doorbrengen maar vindt het lastig om nee te zeggen tegen al die mensen die haar willen bezoeken. Toch is het nodig om onderscheid te maken tussen mensen met wie ze eerder niet veel contact had en tegen hen te zeggen dat het heel lief is dat ze willen komen, dat ze dat erg op prijs stelt maar dat ze de tijd wil besteden aan haar gezin en de mensen met wie ze voor haar ziekte ook al een goede band had zoals bijvoorbeeld diverse collega's.

Soms zijn behandelingen nodig die op dat moment niet goed uitkomen. Jeanny wilde haar operatie in overleg met de artsen even uitstellen ten behoeve van haar zonen.

Na de bestralingen die al vrij snel volgden, moesten ook mijn baarmoeder en eierstokken weggehaald worden. Ik had dit gepland precies na de uitslag van Floris' examen en de terugkeer van Krijn uit Amerika. Ik had toen een goede periode en vond het belangrijk dat ook Krijn nog dat goede beeld van mij zou hebben, omdat ik ook niet wist hoe dat na de operatie zou gaan.

Kinderen kunnen druk en lawaaierig zijn terwijl je behoefte hebt aan rust. Dan is het belangrijk dat ze zich uit kunnen leven op een andere plek, bijvoorbeeld bij een vriendje. Of ze hebben een voorkeur voor moorddadige computerspelletjes die ze liefst de hele dag spelen terwijl jij zo aan het vechten bent om in leven te mogen blijven. Bij pubers kun je nog andere situaties tegenkomen. Zoals Jeanny die op de kamer van haar zoon Floris geconfronteerd werd met zijn posters.

Voor het eerst droeg ik dagelijks een borstprothese. Ik was er onzeker over of dat allemaal wel goed zat, ik vond dat heel moeilijk. Ik heb veel moeite gehad mijn verminkte lijf te accepteren. Ik heb met Floris in die tijd ook ontzettend ruzie gemaakt omdat hij destijds zijn kamer vol had hangen met allemaal fotomodellen met grote borsten. Ik kon er niet naar kijken, hij heeft ze voor mij weggehaald. Nu kunnen we daar om lachen, toen raakte me dat behoorlijk.

Soms kun je er ook behoefte aan hebben gewoon even vertroeteld te worden zoals vroeger thuis als je een griepje had of je wilt het even laten afweten wanneer er een rotklusje gedaan moet worden. Maar de zonen van Jeanny staan dat niet toe.

Hier thuis probeer ik toch buiten 'ziek' een gewoon lid van het gezin te zijn. Als ik dat al niet doe, dan houden de mannen me daar wel aan. Als ik weer eens een beetje te lamlendig ben om op te ruimen, de vaatwasser in te ruimen en de jongens lief aankijk om dat voor me te doen, ontlokt me dat steevast de opmerking dat ik nog niet in het gips zit. Soms kan ik ze wel schieten als dat tegen me gezegd wordt, aan de andere kant, het helpt je ook over drempels heen, het helpt je om je niet altijd ziek en zielig te voelen en het is heerlijk als mensen je nog kunnen plagen. Deze vorm van contact is me erg dierbaar hier in huis.

4. DE GEVOELENS VAN KINDEREN

Wanneer iemand van wie je houdt erg ziek wordt, heb je steun van andere mensen nodig, dit geldt nog meer voor kinderen dan voor volwassenen. De ervaringen die kinderen al eerder in het leven hebben opgedaan spelen een grote rol bij het omgaan met verdriet. Om contact met anderen te maken moeten ze zich kwetsbaar opstellen. Sommige kinderen hebben geleerd dat het gevaarlijk is om kwetsbaar te zijn. Ze gedragen zich onaanraakbaar. Soms gaat de angst gekwetst te worden zo ver dat kinderen zich gaan isoleren en werkelijk contact uit de weg gaan. Ze gaan bijvoorbeeld hard studeren of flink sporten om maar niet na te hoeven denken en niets te voelen. Of ze zijn erg verdrietig maar uiten dat in lastig gedrag. Soms is het alsof er geen gevoelens van verdriet zijn. Het voelt veiliger om alles maar onder controle te houden. Kinderen kunnen zich ook van de mensen om hen heen isoleren. Dat doen ze door zich terug te trekken op hun kamer en niet meer mee te doen met activiteiten.

De gevoelens die kinderen ervaren laten hen merken welke behoeften ze hebben. Bijvoorbeeld de behoefte aan warmte, de behoefte om getroost te worden of de behoefte om een tijdje met rust gelaten te worden. Kinderen zijn niet altijd in staat om hun gevoelens te onderscheiden en de vertaling naar hun behoeften te maken. Zelfs pubers hebben het daar nog moeilijk mee. Ze hebben volwassenen nodig om hen daarbij te helpen.

Wanneer de negatieve gevoelens van de kinderen je soms teveel worden, bijvoorbeeld wanneer ze boos tegen jou uitvallen, bedenk dan dat het blijkbaar veilig genoeg is in jouw gezin om ook negatieve gevoelens te kunnen uiten.

Verdriet

Verdriet is een ontlading, het is de emotionele teleurstelling als wensen en verwachtingen niet uitkomen. Kinderen kunnen je nog niet missen, ze hebben de verwachting dat ze samen met jou nog van alles zullen ondernemen en nog veel ervaringen met je zullen delen. En door jouw ziekte kan dat allemaal niet meer. Verdriet is een gezonde reactie op de pijn en het verlies die kinderen ervaren. Het is niet te voorkomen dat je kinderen verdrietig zijn en het is ook een belangrijke stap in het omgaan met hun verlies dat ze dit verdriet ervaren. Verdriet werkt reinigend. Tranen helen, ze spoelen schoon. Een joods spreekwoord schijnt te zeggen: 'wat zeep is voor het lichaam, zijn tranen voor de ziel' (citaat uit: *Dit doe je kinderen niet aan*).

Verdrietige kinderen hebben vaak veel behoefte

aan warmte en lichaamscontact: op schoot zitten, een arm om hen heen, een aanraking. Als je met je kind praat, is die aanraking vaak het moment waarop het kind zijn verdriet kan laten gaan. Soms zijn ze echter zo bang voor hun eigen kwetsbaarheid dat ze het contact en de aanraking niet kunnen verduren en je (soms bruut) afwijzen.

Meisjes laten in het algemeen makkelijker hun verdriet en hun tranen zien dan jongens. Terwijl meisjes hun boosheid vaak minder goed kunnen laten zien, zijn jongens geneigd hun verdriet te verpakken in kwaadheid. Onder de woede zit het verdriet om wat er gebeurt.

Boosheid

Kinderen zijn soms bang om hun boosheid te laten zien, bang dat mensen hen dan in de steek laten. Maar boosheid is juist een zeer nuttig gevoel. Het werkt als een thermometer die hen vertelt wanneer iets in hun leven niet klopt. Boos dat iemand van wie ze zo houden van hen afgenomen wordt. Kwaad dat ze nooit meer met papa kunnen klussen. Woedend dat mama hen zo in de steek gelaten heeft. Overigens is het belangrijk om het verschil aan te geven tussen iemand moeten achterlaten zonder dat je daar een keus in hebt en in de steek laten, en ervoor kiezen om je kinderen te verlaten. Jij hebt geen keuze. Woede kan ook een vorm van innerlijk verzet zijn tegen de pijn die kinderen voelen. Ze willen die pijn niet voelen, willen niet huilen maar worden kwaad.

Woede en kwaadheid van kinderen hoef je niet te onderdrukken maar je kunt naar manieren zoeken waarop boosheid geuit kan worden zonder dat ze zichzelf of anderen schade berokkenen. Veel kinderen kunnen hun boosheid uiten op een motorische manier. Ze gaan fietsen, hardlopen, voetballen of beoefenen een andere vorm van sport. Als dit niet voldoende is, kunnen ze zich uitleven op een boksbal, met een tennisracket op een kussen meppen, vijf minuten lang kartonnen dozen in elkaar stampen, of zo hard als ze kunnen spijkers in een stuk hout slaan. Belangrijk is dat ook boosheid als gevoel geaccepteerd wordt door de omgeving.

Angst

Angst is een gevoel dat kinderen ervaren wanneer ze zich bedreigd voelen in hun bestaan. Ze worden angstig wanneer de veiligheid en de zekerheid die ze zo nodig hebben in gevaar komt. En het feit dat hun vader of moeder zo ziek is en waarschijnlijk gaat overlijden zorgt ervoor dat ze zich niet meer veilig voelen en onzeker zijn over de toekomst. Het helpt als hun angst er mag zijn, als ze er over mogen vertellen en hierin serieus worden genomen. Ze zijn bang voor wat ze voelen, om alleen te zijn, om te gaan slapen, om iemand te verliezen.

Mama was de laatste weken voordat ze doodging thuis en lag beneden in de kamer. Ik durfde 's nachts niet te slapen omdat ik bang was dat ze dood zou gaan als ik er niet bij was. Maar papa wilde niet dat ik beneden ging slapen.

(Robin, 11 jaar)

Het kinderlijke vertrouwen dat er altijd nog tijd is om dingen te doen of te zeggen is verdwenen, want als papa kan doodgaan dan kan dat ook met mama gebeuren.

De vader van Anne en Jordi is overleden en ze zijn soms bang dat mama ook dood gaat. 'Ze is zo gestrest, daarom rookt ze wel eens een sigaretje. Straks krijgt ze longkanker en is ze ook dood.' De negenjarige Sjoerd, wiens vader ook overleden is, kent dit gevoel maar heeft een oplossing: 'Dat heb ik ook gehad maar ik weet wat helpt. Ik heb een reserve-ouder in gedachten. Ik weet wie ik ga vragen als mama dood gaat. Dat helpt echt als je dat doet!'

(Uit: *Jong verlies*.)

Een prachtig kinderlijk advies dat je als volwassene nooit op deze manier kunt geven. Je kunt nooit beloven dat het niet zal gebeuren maar het helpt vaak wel om met elkaar te praten over wat er dan geregeld is.

Joszi was heel erg bang dat ik ook dood zou gaan. Het hielp om met haar te overleggen wat ze dan graag zou willen en hoe we dat zouden regelen. Ik heb dit toen ook vast laten leggen bij de notaris.

(Sabine, moeder van Joszi, in: *Jong verlies.*)

Angst is een nuttig gevoel omdat het kinderen alert maakt op bedreiging en gevaar. Wanneer de angstsignalen onderdrukt of ontkend worden, ontwikkelen kinderen een voortdurende lichte staat van alarm. Dit zet zich vast in het lichaam waar spieren zich verstrakken en de onderdrukte angst zijn sporen nalaat.

Blijdschap en humor

Misschien lijkt het raar om ook deze gevoelens te beschrijven wanneer we het over verdriet hebben. Juist bij kinderen zien we dat verdriet en plezier elkaar afwisselen. Kinderen kunnen niet veel pijn verdragen en dus ook niet lang achter elkaar verdrietig zijn. Het is een overlevingsstrategie en bovendien een gezonde manier van reageren voor kinderen. Stimuleer juist dat ze spelen en plezier maken met leeftijdgenoten in deze voor hen zo moeilijke periode.

Ook humor werkt helend. Niet als andere kinderen grapjes maken over de ziekte maar wel als je in je gezin samen een bepaalde humor ontwikkelt. Het geeft een ontlading bij de zwaarte die er ook zo vaak is.

Bij een gesprek over hoe de begrafenis van Jeanny er uit zou moeten zien is het op een bepaald moment genoeg voor haar twintigjarige zoon en neemt de humor de overhand.

Floris wordt het serieuze na een tijdje zat en begint dan te dollen. Hij begint openlijk mijn spullen te verdelen en virtueel overal stickers op te plakken, hij wil die klok wel die hij mij ooit voor moederdag gegeven heeft, hij wil graag mijn sieradendoos met inhoud. Ineens vraagt hij zich af hoe dat dan moet als ik er niet meer ben en zij met z'n drieën voor mijn kledingkast staan? Wat moeten we dan met al die naaldhakken, mam? Moeten die in de kast blijven? Dat soort vragen, ik moet erg lachen om de scène die ik dan voor me zie en realiseer me tegelijkertijd hoe moeilijk het voor hen zal worden.

Soms denken kinderen dat ze nooit meer plezier mogen hebben en altijd verdrietig moeten zijn. Het is belangrijk om hen te laten weten, dat jij het prettig vindt als ze af en toe plezier hebben en kunnen lachen.

Spijt en schuld

Schuld is een gevoel dat voorkomt vanwege dingen die gebeurd of juist nagelaten zijn. Het heeft in principe een positieve functie namelijk ervoor zorgen dat kinderen dingen recht kunnen zetten wanneer ze iets fout gedaan hebben. Maar kinderen ontwikkelen ook schuldgevoelens vanuit hun magische denken. 'Had ik papa maar beter geholpen', 'Als ik niet zo stout was geweest, was het misschien niet gebeurd.' 'Als ik liever geweest was voor mama had ze niet naar het ziekenhuis gehoeven.' 'Ik was die dag vergeten hem zijn glaasje water te brengen en daarom is hij doodgegaan.' Belangrijk is om hier alert op te zijn en het met je kind te bespreken. Vertel keer op keer dat iemand niet ziek geworden is of is doodgegaan om iets dat kinderen gedacht, gedaan of nagelaten hebben.

Verwarring

Al die verschillende gevoelens kunnen kinderen overvallen en in verwarring brengen. Soms kunnen ze nergens anders meer aan denken dan aan wat er thuis gebeurt en lukt het hen niet meer om zich op iets anders te concentreren. Dat kan concentratieproblemen in de klas opleveren. Houd regelmatig contact met de school hierover en bespreek op welke wijze jouw kind hierin ondersteund kan worden.

Machteloosheid

Kinderen kunnen het gevoel hebben dat ze niets hebben kunnen doen om je ziekte te voorkomen en dat leidt tot een gevoel van machteloosheid. Ze zijn de controle over hun leven kwijt, ze hebben het gevoel dat ze niets te willen of te beslissen hebben. Het helpt om iets te kunnen doen. Bijvoorbeeld om als taak op zich te nemen dat papa een glaasje water naast zijn bed heeft. Of om 's morgens een stukje voor te lezen uit de krant als mama dat niet meer zelf kan.

5. IETS NALATEN VOOR DE TOEKOMST

Het is voor kinderen heel waardevol wanneer ze iets tastbaars krijgen van hun vader of moeder wanneer deze gaat overlijden en vooral wanneer hij of zij dit zelf nog kan geven.

Uit ervaring weet ik dat kinderen in de puberteit weer naarstig op zoek gaan naar informatie over hun overleden vader of moeder. Wie was die papa of die mama? Was het een lieve ouder, wat deed hij of zij in het dagelijks leven? Wat vond papa of mama van mij? Welke eigenschappen heb ik van hem of haar? Kon ik goed met hem of haar opschieten?

Mama is gestorven toen ik zes was. Ik ben er min of meer buiten gehouden en had ook helemaal geen tastbare herinnering van haar. Als puber ben ik op zoek gegaan of ik iets kon vinden van mijn moeder. Indertijd was alles weggegooid, er was nauwelijks iets bewaard gebleven. Na lang zoeken kwam er een brief boven tafel die mijn moeder ooit geschreven had. Het was geen brief aan mij maar ik werd er wel in genoemd. Ik had geen mooier cadeau kunnen krijgen dan deze handgeschreven brief. Ik heb hem jaren bij me gedragen, zo bang was ik hem kwijt te raken.

(Persoonlijk contact met een inmiddels vijftigjarige vrouw.)

Als je weet hoe belangrijk het is voor de toekomst van je kinderen, is het van belang om na te denken wat jij voor jouw kinderen kunt achterlaten.

André en Natasja hebben één dochtertje, Robin, wanneer André kanker krijgt. Hij herstelt en ze krijgen nog een dochtertje en een zoon, Puck en Sam. In het eerste levensjaar van Sam blijkt dat de kanker bij André is teruggekomen. André vecht om de kanker te overwinnen maar als Sam anderhalf is, blijkt er geen hoop meer te zijn. Toevallig is het de week nadat hij dit bericht heeft gekregen schoolvakantie en de planning is dat de kinderen zullen gaan logeren. André en Natasja laten de logeerpartij doorgaan en gebruiken deze week om zoveel mogelijk financiële en medische zaken te regelen en te praten over de voorbereiding van de uitvaart. André heeft nadrukkelijke wensen voor zijn afscheid. Hij wil een witte kist en hij wil gecremeerd worden. André ontwerpt zelf drie hangertjes voor zijn kinderen waarin zijn as bewaard kan worden. Zijn afscheidswoorden voor de kinderen legt hij vast op filmpjes en in brieven.
(Uit: *Natuurlijk met de kinderen.*)

Er zijn vele manieren om te zorgen voor een tastbaar aandenken voor de kinderen. We bespreken diverse vormen zodat je wellicht geïnspireerd wordt om je eigen manier uit te werken. Een manier die bij jou en bij jouw gezin past.

Peter heeft te horen gekregen dat genezing van zijn ziekte niet meer mogelijk is. Zijn vrouw Laura vraagt hem om na te denken over een afscheidsbrief voor zijn twee dochtertjes. Maar Peter vindt dat maar soft, het past helemaal niet bij hem. Laura merkt dat hij steeds meer tijd in de schuur doorbrengt maar hij vertelt er niets over. Dan blijkt dat hij voor beide meisjes prachtig houten speelgoed aan het maken is.

Afscheidsbrief

Om de dingen te kunnen zeggen die je nog tegen de kinderen wilt zeggen en om deze woorden voor hen vast te leggen, is een afscheidsbrief een mooie manier. Het is geen eenvoudige opgave omdat je zo nadrukkelijk bezig bent met het naderende afscheid. Het kost veel emotionele energie.

Marjan wil voor Luuk en Jolijn afscheidsbrieven maken maar stelt dit steeds weer uit. Ze is zorgvuldig bezig met nadenken over wat er in de brieven moet staan maar daardoor komt er geen letter op papier terwijl de tijd begint te dringen. Daarom vraagt ze aan haar man Huub om haar te helpen en besteden ze er iedere avond even tijd aan. Ze spreekt ook tekst in op een bandje om te voorkomen dat er straks niets vastligt. De tekst op het bandje neemt ze later weer over in de brieven voor de kinderen.

Als je de perfecte brief wilt schrijven is er kans dat er uiteindelijk geen brief is. Een kind verwacht geen perfecte brief en is blijer met een kladje dan met niets, dat is belangrijk om voor ogen te houden.

Mijn moeder had brieven geschreven voor ons maar ze wist niet goed wat ze moest schrijven en heeft ze verscheurt maar eigenlijk zou ik willen dat wij die nou hadden dus voor de ouders die nu ook kanker hebben: het is misschien een goed idee om een afscheidsbrief te schrijven.

(Esmee, 11 jaar, op kankerspoken.nl)

Evert heeft een vorm van MS die zich snel ontwikkelt. Het wordt steeds duidelijker dat zijn leven begrensd is. Hij wil graag iets achter laten voor zijn dochter Tessa van negen en zijn zoon Marco van een jaar oud maar weet niet wat. Zijn lichaam is naar zijn gevoel zo afgetakeld dat hij absoluut geen video-opname wil laten maken waarop hij nog dingen tegen zijn kinderen zegt. Hij wil het liefst een brief schrijven maar is erg bang dat hij belangrijke dingen zal vergeten. Het vergt moed om aan iets te werken dat bestemd is voor na je dood. Bovendien, wanneer je er zelf aan toe bent om dit op te brengen, wil dat nog niet zeggen dat je partner ook al zover is. Elly, zijn vrouw, is loyaal en werkt mee in zoverre ze dat kan. Het is een relatietest op de grens van afscheid. Vol respect heb ik ervaren hoe twee mensen samen deze moeilijke weg gaan. Evert vraagt of er voorbeeldbrieven zijn. Op dat moment zijn die er nog niet, althans ik heb er geen. Door de vraag van Evert ga ik nadenken over wat er in zo'n brief zou moeten staan. Vanwege zijn ziekte kan Evert niet meer zelf schrijven en Elly is nog niet zover, het komt te dichtbij. Daarom vertrouwen ze het mij toe om samen met Evert de brieven te maken. Voor mij is het intens voelbaar wat het betekent om afscheid te moeten nemen van je kinderen, het raakt me ten diepste.

De belangrijkste vraag is: wat willen mijn kinderen straks weten? Ik noem enkele thema's die in de brief aan bod kunnen komen:

– Waarom schrijf ik op dit moment deze brief?
– Wie ben ik, als persoon en als papa/mama?
– Wat heb ik in mijn leven gedaan? (hobby's, opleiding, werk)
– Wat ik over jou, mijn kind, wil zeggen. Hoe kijk ik tegen je aan, waar ben ik trots op?
– Vertellen over wat we samen hebben meegemaakt, anekdotes, herinneringen.

- Welke dingen wil ik nog tegen je zeggen?
- Wat wil ik je meegeven voor de toekomst?
- Wat wil ik voor je achterlaten (iets stoffelijks zoals een sieraad bijvoorbeeld)
- Afscheidswoorden

Het schrijven van de brief is een zeer emotionele gebeurtenis die veel energie vergt. Het is tevens ook dé manier waarop je als ouder, ondanks je ziekte, iets kunt betekenen voor je kind, nu en in de toekomst.

Vooral wanneer je kinderen nog zo jong zijn dat ze jou maar kort mogen meemaken, kan de brief (later) aangevuld worden met informatie van degenen die je goed kennen zoals familie, vrienden en collega's. Op deze wijze krijgen kinderen de gelegenheid zich een beeld te vormen dat redelijk compleet is.

Brieven voor de toekomst

Een ander briefvorm is een brief voor de toekomst. Je schrijft dan een brief bestemd voor je kind om op een bijzonder moment gelezen te worden. Bijvoorbeeld als je zoon achttien wordt, als je dochter gaat trouwen of als je eerste kleinkind geboren wordt.

Désiree heeft een dochtertje van zeven, Milou. Désiree moet een zeer zware operatie ondergaan waarvan de afloop niet zeker is. In afwachting van de operatie schrijft ze een aantal brieven voor Milou voor verschillende momenten in haar leven. De eerste is bestemd voor haar twaalfde verjaardag, de tweede voor haar achttiende verjaardag. Dan is er nog een brief voor haar trouwdag, voor het moment dat ze weet dat ze zwanger is van haar eerste kind en voor de dag waarop dit kind geboren wordt. Zo zal Désiree, als ze de operatie niet mocht overleven, toch op belangrijke momenten in het leven van haar dochter Milou aanwezig zijn.

Dagboek

Sommige ouders beginnen met een dagboek, speciaal bestemd voor de kinderen, wanneer ze weten dat ze ernstig ziek zijn. Daarin leggen ze het verloop van de ziekte vast maar ook hun gevoelens, gedachten en herinneringen.

Boek

Een boek als een soort uitgebreide afscheidsbrief is ook een mogelijkheid. Geschreven door degene die gaat overlijden, door de partner, samen of door het hele gezin. Uitgegeven bij een uitgever, in eigen beheer of alleen bestemd voor het eigen gezin. Een voorbeeld hiervan is *Om jou mijn lief, om jou; afscheid van Agnes* van Paul Sloots. Daarin beschrijft Paul het leven, het ziek-zijn en het afscheid van zijn vrouw Agnes.

Jeanny kiest ervoor een boek te maken samen met haar man en zonen.

Het was ook in deze periode dat ik besloot dat ik iets aan de kinderen wilde nalaten van mezelf. Ik wilde zo graag dat er iets was als ik er niet meer zou zijn dat zij aan hun partners en kinderen konden laten zien of lezen van mij. Op dit moment is het idee van het boek ontstaan. Het eerste plan was dat ik het zou schrijven. Ik heb wat gebrainstormd met mijn zus en Plien, een goede vriendin, over de titels van de hoofdstukken, over wat er in moet komen, over wat ik van mezelf wil laten zien en vertellen. Daarnaast bedacht ik me dat de jongens en wellicht ook Ruud aan hun partners en kinderen zullen gaan vertellen wie ik ben, hoe ik ben, wat ik doe en deed. Het leek me leuk om dat ook uit hun mond te horen en dat ook te horen voordat ik doodga. Ik heb gevraagd of Ruud en Floris en Krijn daarom het eerste hoofdstuk willen schrijven en dat heet 'Wie ben ik'. Die vraag en die opdracht heeft al heel wat taferelen teweeg gebracht.

Ruud is op de zijn bekende gedegen manier aan de slag gegaan en heeft het verhaal van onze 27 jaar leven samen van begin tot eind beschreven. (...) Floris had moeite om te beginnen en wist niet goed wat hij ermee aan moest. Met hulp van Plien is hij vrolijk aan de slag gegaan, hij kan erg goed schrijven en heeft er veel plezier in. Op een bepaalde zondag zaten wij, ieder aan een eigen laptop maar wel aan dezelfde tafel, te werken en hij was als een bezetene aan het typen aan zijn verhaal over mij. Hij was aanbeland bij het kopje 'irritaties'. Ik kreeg iedere keer een citaat naar mijn hoofd, hij testte dan even hoe dat viel en vervolgens moest hij daar zelf erg om lachen. Hij constateerde na vijf uur werken dat dit hoofdstuk wel erg gemakkelijk schreef voor hem, om maar aan te geven hoezeer ze mij sparen hier thuis.

Krijn komt niet op gang met het boek. Hij blijft met een bepaald beeld in zijn hoofd zitten van mij als moeder en komt niet verder. Hij komt niet voorbij de zelfcensuur, vindt het erg moeilijk om vervelende dingen over mij op te schrijven maar is wel erg boos, bang ook, boos omdat ik ziek geworden ben. Hij heeft nu contact gezocht met mijn zusje en probeert met haar aanwijzingen dit tot een geheel te maken. Ik heb hem gezegd dat het geen verplichting is, dat als het te moeilijk voor hem is, hij dit echt niet hoeft te doen, dat hij het mij ook mag vertellen, dat Floris hem misschien kan helpen. Hij heeft van de week aan Floris gevraagd of hij zijn verhaal mag lezen, misschien helpt het hem over drempels heen.

Dierbare voorwerpen en herinneringen
Ik heb drie jonge kinderen en mijn man is ernstig ziek. We zijn samen bezig met het afscheid en hoe we

dit het beste kunnen aanpakken, samen met de kinderen. Mijn man heeft voor ieder van onze zoontjes nagedacht wat hij voor speciaals kon achterlaten. Iets dat hij zelf nog kon maken. Voor de oudste heeft hij bijvoorbeeld een pijl en boog gemaakt. Ik maak ondertussen samen met mijn zoontjes een schatkist waarin ze spulletjes van hun papa kunnen bewaren. Die schatkist versieren ze zelf. We hebben een dromenvanger gekocht die we boven in de gang bij de slaapkamers hebben opgehangen. De jongens hebben soms angstdromen en die dromenvanger kan ze vangen. Zo proberen we hen voor te bereiden en probeert mijn man om iets tastbaars achter te laten.

(Persoonlijk gesprek met deze moeder van drie zoontjes.)

Je kunt voor je kinderen iets bijzonders uitzoeken, een voorwerp dat speciaal voor hen is. Papa zegt bijvoorbeeld tegen zijn zoon dat zijn horloge na zijn dood voor hem is, mama geeft haar ketting of ring aan haar dochter. Je kunt ook samen werken aan een herinneringsboek, een boek waarin de kinderen na jouw dood verder kunnen werken door hun gedachten, ervaringen en gevoelens vast te leggen zoals in *Ik hou je nog even vast* of *Ik zal je nooit vergeten* voor kinderen tot een jaar of twaalf en *Naar een nieuwe horizon* voor pubers.

Schatkist

Een mooie vorm van een tastbaar aandenken, voor-al voor jonge kinderen, is een schatkist of herinneringsdoos waarin dierbare spulletjes komen. Van een wijnkistje, een houten kistje zoals ze bijvoorbeeld bij Ikea of Xenos te koop zijn, kun je door middel van schilderen, tekenen, stempelen of plakken een prachtige herinneringskist maken. Daarin kunnen allerlei dingen bewaard worden. Je kunt voorwerpen uitzoeken voor de kinderen die je aan hen wilt geven zoals een horloge, een sieraad, een symbool of een mooie steen. Ook foto's of brieven kunnen in dit kistje worden bewaard. Na het overlijden kan de rouwbrief, het gedachtenisprentje en mooie kaarten die de kinderen krijgen eraan toegevoegd worden. Zolang je nog in leven bent kan het kistje dienst doen als zorgendoosje of troostkistje.

Marjan wil naast afscheidsbrieven voor Luuk en Jolijn ook een herinneringskistje maken. Ze vindt het moeilijk omdat ze niet twee dezelfde kistjes wil maken maar voor ieder een bijzonder en uniek kistje. De kerstvakantie staat voor de deur en omdat ze in deze vakantie veel tijd met de kinderen wil doorbrengen combineert ze beide zaken. Ze gaat met de kinderen samen materialen kopen om de kistjes te maken. Samen kiezen ze ook dingen uit voor de inhoud. Thuis gekomen gaan ze samen aan de slag.

Het is een zeer verbindende activiteit en de kistjes worden vanzelf totaal verschillend. Jolijns kistje wordt roze met aan de buitenkant een geschilderde regenboog. In het kistje heeft ze allemaal roze dingen gekozen zoals een roze pluche hart en een roze doosje om straks de sieraden te bewaren die ze van haar moeder krijgt. Luuk kiest voor primaire kleuren en vraagt aan zijn moeder om hem te helpen het kistje te beschilderen. Marjan maakt glas-in-lood voorwerpen en Luuk ziet haar als een echte kunstenares, daarom stelt hij haar bijdrage zo op prijs.

Het worden prachtige kistjes die later bij de afscheidsdienst van Marjan een belangrijke plek krijgen op haar kist.

Zo'n kistje kan ook door de ouder zelf gemaakt worden en zelfs bedoeld zijn om pas in de toekomst geopend te worden.

Joost, de zevenjarige zoon van Piet, vertelt dat hij erg nieuwsgierig is naar de doos die zijn papa voor hem heeft gemaakt en die hij op zijn zestiende of achttiende (dat weet hij niet precies) mag openmaken.

Beeld- en geluidsmateriaal

De stem van papa of mama nog kunnen horen, nog kunnen zien hoe hij of zij eruit zag, zijn belangrijke herinneringen voor kinderen. Sommige ouders spreken een bandje in voor hun kinderen, anderen laten een afscheidsvideo maken waarin foto's van hun leven en videofragmenten samengevoegd worden met persoonlijke woorden voor de kinderen.

Piet maakt in de laatste fase van zijn leven voor zijn zonen Joost van vijf en Coen van zeven een cd waarop hij over zichzelf vertelt. Over wie hij is, hoe hij tegen zijn zoontjes aankijkt, hoeveel hij van hen houdt en dat hij hoopt dat ze misschien wel net zoveel van toneel gaan houden als hij. Maar, stelt hij hen gerust, als dat niet zo is, is het ook prima. Hij vertelt over zijn leven zodat zijn zonen zich later een completer beeld kunnen vormen van hun vader.

Een andere mogelijkheid is het samenstellen van een fotoalbum voor ieder van de kinderen waarin je belangrijke momenten uit je eigen leven vastlegt, gecombineerd met een persoonlijke toelichting bij de foto's. Piet had nog een andere vorm bedacht:

Piet heeft voor Coen en Joost hun favoriete verhalen ingesproken op een cd. Als Coen in de jaren na het overlijden van zijn vader moeilijk in slaap kan komen zet hij een koptelefoon op om naar de verhaaltjes van zijn vader te luisteren, dat helpt.

6. AFSCHEID NEMEN VAN DE ZIEKE OUDER

Voor kinderen is het belangrijk dat hun gewone leven ook doorgaat. Verplicht hen niet altijd mee op bezoek te gaan in het ziekenhuis, of veel tijd bij de zieke door te brengen. Laat hen spelen bij een vriendje, kiezen voor het verjaardagsfeestje of met de scouting op kamp gaan. Soms hebben ze behoefte aan afstand, een andere keer aan nabijheid. Het verwijt 'hoe kun je nou gaan voetballen terwijl je vader zo ziek is' werkt averechts. Vertel wel dat tijd niet eindeloos is. Ze kunnen nu nog dingen zeggen en doen. Het ene kind zal daar uitgebreid gebruik van maken, de ander durft het niet omdat het te emotioneel is. Vaak hebben ze hierbij steun nodig.

Geef kinderen de kans om te leren omgaan met de voor hen verwarrende situatie. Dat heeft tijd nodig. Vaak hebben ze het idee dat iedereen om hen heen doet alsof hij weet hoe het moet, daar kunnen ze zich zeer eenzaam in voelen. Wanneer het lang duurt, kun jij hen een duwtje in de goede richting geven. 'Voor mij is dit ook nieuw, ik weet het ook niet, maar laten we het maar proberen' of tegen een puber: 'Het maakt me niet uit hoe je het doet, ik weet het ook niet zo goed, maar ik wil je wel bij papa zien.' Naast begrip hebben kinderen soms sturing nodig om de drempel te overwinnen.

Kinderen moeten voorbereid worden op de volgende fase van de ziekte: de zware operatie, de chemokuur, de overplaatsing naar het verpleeghuis of hospice, de bijbehorende lichamelijke veranderingen.

Ik zag er tegenop om ineens met een kaal hoofd voor Laurien te verschijnen. Het leken me van die dramatische veranderingen voor een zevenjarige. De oplossing voor dit probleem was simpel. Toen Anneke en Laurien op bezoek kwamen, kreeg Laurien de tondeuse in handen en mocht zij mijn schedel bewerken. Na wat aarzelende halen kreeg ze er lol in en binnen enkele minuten was ik niet meer van een hardcore gabber te onderscheiden.

(Uit: *Berichten aan de buitenwereld.*)

Probeer ook te zien op welke bijzondere manieren kinderen soms hun best doen om contact met je te maken.

Toen Jan vanwege leukemie in het ziekenhuis lag, was het zowel voor Jan als voor de kinderen erg moeilijk om te praten over wat er allemaal gebeurde en kon gebeuren. Op de dag dat zijn jongste dochter Laurien zijn hoofd met de tondeuse kaalgeschoren had, kwam zijn zoon op bezoek met een pet voor

hem met de tekst 'Bad Hairday'. 'Hier, da's voor jou'
was het enige wat hij zei.
    (Uit: *Berichten aan de buitenwereld.*)

De laatste fase in een ziekteperiode is een tijd die kinderen niet kunnen overdoen daarom is regelmatig bezoek van belang. Ze kunnen later anders schuldgevoelens ontwikkelen omdat ze te weinig geweest zijn.

Zorgenboom, zorgendoos, zorgenpoppetje
Als papa of mama erg ziek is, maken kinderen zich veel zorgen. Je kunt deze zorgen niet wegnemen maar je kan hen wel helpen ermee om te gaan.
    De mama van Lisa is ziek en Lisa kampt met schuldgevoelens en zorgen. Dan krijgt ze van haar moeder een zorgendoosje.

Lisa had geen idee wat haar moeder bedoelde, maar zij koos een doosje uit. Toen gaf haar moeder haar een handvol knopen en zei: 'Dit zal misschien helpen om minder zorgen te hebben: telkens wanneer je een knoop in het doosje doet moet je iets zeggen waar je bezorgd of verdrietig om bent.'
    (In: *'t Is niet eerlijk als een ouder kanker heeft.*)

De knopen kunnen vervangen worden door mooie steentjes of kraaltjes. In het vorige hoofdstuk beschreef ik hoe Marjan samen met haar kinderen een schatkist maakte. Tijdens haar ziekte werd dit een zorgendoos, oftewel een troostkistje zoals zij dit noemde. In die troostkist kunnen dingen een plek krijgen zoals een kleine dromenvanger (wereldwinkel) om de enge dromen af te vangen, een zorgenpoppetje dat kinderen onder hun kussen kunnen leggen om hun zorgen aan het poppetje te kunnen geven, een doosje met blauwe stenen (tranen), een mooie steen om vast te houden of een Chinese geluksmunt.

Op school kan in de klas een mooie grote tak worden gezet die dienst doet als zorgen- of troostboom. De kinderen kunnen er briefjes in hangen met daarop hun eigen zorgen of troostbriefjes voor het klasgenootje van wie papa of mama erg ziek is. Dit alles kan kinderen steun geven in deze voor hen zo moeilijke periode.

Als iemand er steeds slechter uit gaat zien
Je kan voor een dilemma komen staan wanneer je zieker en zieker wordt en je er steeds slechter uit gaat zien.

Everts lichaam gaat snel achteruit door zijn ziekte MS. Hij vraagt zich af of het nog wel goed is voor de kinderen om hem te bezoeken in het verpleeghuis. Zijn dochter Tessa van negen is opgegroeid met een zieke papa en vindt het heel normaal dat papa door

*een buisje plast, ze weet niet beter. Dat hij inmiddels
in een rolstoel zit is een geleidelijke verandering die
ze accepteert.*

Als Evert ervoor zou kiezen om zijn kinderen niet
meer op bezoek te laten komen, doet hij dat met de
beste bedoelingen, namelijk om hen te beschermen.
Maar je kunt kinderen niet beschermen voor de pijn
die ze in het leven zullen tegenkomen. Bovendien is
het effect averechts. Want kinderen voelen zich juist
buitengesloten wanneer ze niet meer betrokken worden. Bovendien zijn ze meer gebaat bij het meemaken
van de geleidelijke veranderingen. Zij kunnen de
kloof niet overbruggen wanneer ze afscheid nemen
van een papa die er nog redelijk goed uitziet en vervolgens weken later afscheid moeten nemen van een
papa die dood is en door de aftakeling van zijn
lichaam nauwelijks meer herkenbaar is voor hen. Als
ouder ben je op zoek naar de balans tussen je kinderen blootstellen aan wat jou en hen overkomt, en hen
ervoor beschermen. Dat is een lastige zoektocht
maar je kind afsluiten van alle pijn is onmogelijk en
ook ongewenst. Hoewel het moeilijk voor je is om je
kind te zien worstelen met angst en verdriet.

*Hans heeft botkanker en het gaat hard. Hij takelt lij-
felijk snel af. Hij heeft een dochter van drie en een
zoontje van twee jaar oud. Het is aan de kinderen te*

merken dat ze het een beetje eng vinden. Ze durven hem niet goed aan te raken of een kus te geven en willen eigenlijk weer meteen bij mama op schoot of in een hoekje van de kamer op de grond spelen. Hans vindt het verdrietig maar wil zijn kinderen niet force- ren. 'Ik geniet er vooral van hen te zien,' zegt hij.

Kinderen actief een rol geven

Wanneer je zieker wordt en vooral op bed ligt, is het voor kinderen fijn om op hun manier voor jou te kunnen zorgen. Natuurlijk moet deze verantwoorde- lijkheid passen bij hun leeftijd. Je kunt bijvoorbeeld vragen of ze een knuffel voor je uitzoeken die bij jou op bed kan liggen. Of je vraagt ze met tekeningen en zelfgeplukte bloemen je kamer willen opvrolijken. Ze kunnen zorgdragen voor het glaasje water naast je bed of jou een cracker brengen. Ze kunnen extra taken in huis doen zoals de afwasmachine inruimen of de hond uitlaten. Zo hebben ze het gevoel dat ze iets bij kunnen dragen.

Wanneer kinderen iets niet willen waarvan jij of je partner van mening zijn dat het noodzakelijk is, is het belangrijk om te vragen wat hen mogelijk tegen- houdt. Blijf rustig en vraag door in plaats van kwaad te worden, te beschuldigen of te veroordelen. Soms helpt het om extra informatie te geven en is het voor- al de onbekendheid die hen tegenhoudt. Ze hebben soms beelden die totaal niet kloppen. Vanuit hun ervaring met tv-series verwachten ze dan dat de zieke aan een machine ligt om in leven gehouden te worden of dat er aan het hele lijf slangen verbonden zijn. Je kunt dan uitleggen hoe het werkelijk is.

Voorbereiden van het bezoek

Het goed voorbereiden van een bezoek is een van de belangrijkste dingen. Daarvoor moet degene die de kinderen hierin begeleidt goed weten hoe de situatie is. Dat kan het beste door eerst zelf op bezoek te gaan en dan alles met ogen van kinderen te bekijken. Vervolgens maak je dit voor de kinderen zo concreet mogelijk: we gaan in het ziekenhuis met de lift naar de vierde etage, papa ligt op een kamer met nog een meneer. Hij heeft zijn nacht t-shirt aan en ligt op een hoog bed. Hij heeft een infuus, dat is een slangetje waarmee vocht uit een flesje dat aan een paal hangt in zijn lijf druppelt. Het zit met een pleister vast. Vertel hoe papa eruit ziet. Kan hij nog praten, kan hij nog bewegen, kan hij zijn ogen nog openen? Soms krijgt iemand hulp bij het ademen: je ziet een buisje bij papa's keel waardoor hij gemakkelijker kan ademen doordat een machine meehelpt. Ook een monitor moet uitgelegd worden.

Het helpt als kinderen weten wat hen te wachten staat. Wees erop berekend dat ze vanuit hun kijkwijze toch dingen anders ervaren dan jij, dingen waaraan je ondanks een goede voorbereiding niet hebt gedacht.

Kinderen dwingen tot een bezoek heeft geen zin, je kunt hen wel stimuleren en helpen om een passende manier te vinden om betrokken te zijn. Met enig zoekwerk en creativiteit zijn er meestal wel mogelijkheden om obstakels en drempels bij kinderen te omzeilen en hen toch een aandeel te laten hebben in de gebeurtenissen.

Kinderen voorbereiden op het overlijden
Zolang er kans is op verbetering, is er hoop. Die hoop geeft kracht, voor jou en je kinderen. Als blijkt dat de behandeling of de medicijnen niet aanslaan, je steeds zieker wordt en duidelijk is dat jij binnen afzienbare tijd gaat overlijden, kun je je kinderen langzaam gaan voorbereiden op je overlijden. Zelfs als je zeer positief ingesteld bent, is het van belang dat je de feiten onder ogen ziet.

Stephanie is overtuigd dat haar positieve instelling in het leven haar zal helpen. Zij zoekt steun bij diverse alternatieve behandelingen, mediteert veel en vindt baat bij Reiki. Ze blijft overtuigd dat ze langzaam maar zeker beter zal worden ook al wordt steeds duidelijker dat de dood nabij is. Daardoor krijgen haar twee dochters van twaalf en veertien niet de kans om bewust afscheid te nemen van haar en nog dingen te zeggen die ze nog zouden willen zeggen.

De dochters van Stephanie hadden na haar overlijden begeleiding nodig omdat ze het heel moeilijk
hadden met het feit dat het overlijden voor hun moeder onbespreekbaar was. In therapie hebben ze door
middel van brieven aan hun overleden moeder als-
nog de dingen op papier gezet die ze hadden willen
zeggen.

*Marjan weet dat ze nog maar enkele maanden te
leven heeft. Als voorbereiding kijken Huub en zij
samen met de kinderen naar de video Storm waarin
de vogel Storm praat met kinderen over hun ouder
die kanker heeft. Na afloop van de film vraagt
Marjan aan Luuk: 'Ben jij wel eens bang dat ik dood
ga?' Luuk: 'Ja, ik ben wel drie keer bang geweest.'
En hij noemt de momenten waarop hij erg bang was.
'Maar ik weet zeker dat je beter wordt!' vervolgt hij.
Zijn jongere zusje Jolijn reageert: 'Dat denk je en dat
hoop je!'*

Zo klein als ze is, 'weet' Jolijn al meer dan Luuk op
dat moment aankan. Maar op het moment dat kinderen zelf vragen: 'Ga jij dood?' kun je de vraag niet
ontwijken. 'Ik hoop dat ik nog een tijdje bij jullie
mag blijven, maar ik ben zo ziek dat de dokters mij
niet meer beter kunnen maken.' Beloof de kinderen
dat jij of je partner hen op de hoogte zullen houden
als je achteruit gaat en ze echt afscheid moeten gaan

nemen. Zorg er, indien mogelijk, ook voor dat die tijd er is voor de kinderen. Je partner of een ander vertrouwd iemand kan de kinderen hierin begeleiden. Soms vertonen kinderen weerstand en willen ze geen afscheid nemen omdat het zo definitief is. Toch is het belangrijk dat ze beseffen dat het straks te laat is. Ze kunnen geholpen worden om te zoeken naar hun manier om het afscheid vorm te geven.

Als duidelijk is dat de laatste fase gekomen is, moet aan de kinderen uitgelegd worden dat papa of mama gaat overlijden. Ook dit moet weer stap voor stap gebeuren vanuit het perspectief van het kind. Daarvoor is het belangrijk dat je weet welk beeld kinderen op een bepaalde leeftijd hebben van de dood en op welke wijze je doodgaan het beste kunt uitleggen. Hiervoor verwijzen we voor volwassenen naar het boekje *Veel gestelde vragen over kinderen en afscheid* uit deze serie en voor kinderen naar *Ik weet niet wat ik weten moet*, uit de serie *Zonder jou*.

7. ALS OUDERS NIET MEER BIJ ELKAAR ZIJN

In de vorige hoofdstukken zijn steeds voorbeelden gegeven van situaties waarbij ouders nog bij elkaar zijn als een van de twee ziek wordt. Soms komt het voor dat een van de ouders al overleden is en het kind dus beide ouders gaat kwijtraken. Dat maakt het nog moeilijker en ingewikkelder, niet alleen omdat er ook in praktische zin veel geregeld moet worden. In het beperkte kader van dit boekje kunnen we niet verder ingaan op deze situatie.

Vaker komt het voor dat ouders gescheiden zijn wanneer de ziekte zich bij een van de twee open-baart. Kinderen hebben dan verdriet gehad om het uit elkaar gaan van hun ouders en krijgen er nu een tweede verliessituatie bij. Wanneer ze bij de zieke ouder wonen, geeft dat de meeste verandering. Vaak volgt dan een verhuizing naar de andere ouder die daar (nog) niet op ingesteld is.

De ouders van Monique (12) en Thomas (10) zijn gescheiden en hun vader is naar België verhuisd waar hij met zijn nieuwe vrouw en haar twee zoontjes woont. Als de moeder van Monique en Thomas na een korte ziekte overlijdt, verhuizen de twee kinde-

ren naar hun vader en betekent dit naast het verlies van hun moeder, het achterlaten van hun vrienden, het veranderen van school en het wennen aan een ander land en krijgen ze er een stiefmoeder en twee broertjes bij.

De turbulente periode rond de scheiding is achter de rug, alles is weer in een redelijk rustig vaarwater en dan kondigt de ziekte zich aan. Dit zet alles weer op zijn kop en we zien vaak dat oude, inmiddels geheelde wonden, weer opengereten worden.

Tineke en Johan zijn enkele jaren geleden gescheiden. Tineke is met haar nieuwe man, Bert, gaan samenwonen en heeft met Johan een co-ouderschap geregeld voor hun twee kinderen van 9 en 11 jaar.

Ook Johan heeft inmiddels een nieuwe relatie met Patricia, een jonge vrouw. De twee stellen kunnen de zaken rond de kinderen goed met elkaar regelen, alles is min of meer gestabiliseerd. Dan blijkt Johan ziek te zijn en een zeer slechte prognose te hebben. De kinderen zijn intens geschokt en verdrietig. Tineke probeert hen zo goed mogelijk bij te staan maar heeft het zelf ook moeilijk. Ze realiseert zich dat dit het definitieve afscheid wordt van een relatie die toch twee prachtige kinderen opgeleverd heeft. Tot haar eigen verbazing is ze erg verdrietig. Een verdriet dat ze nauwelijks kan delen met anderen.

Johan ligt in het ziekenhuis en de communicatie met hem verloopt via Patricia. Die vindt het niet nodig dat Tineke haar kinderen begeleidt wanneer zij hun vader opzoeken. Bovendien wil Tineke nog een keer apart met Johan spreken over de toekomst van hun kinderen. 'Niet nodig,' oordeelt Patricia, 'Johan heeft dit al met mij besproken.'

Hoewel de relatie tussen de twee stellen goed was, wordt de communicatie tussen Tineke en Patrica steeds moeizamer. Door het oplopen van de druk en door de emotie wordt het steeds lastiger om naar elkaar te luisteren en elkaar te begrijpen.

Patricia wil dat de kinderen tijdens de uitvaartdienst bij haar zitten. Voor Tineke is geen plek gereserveerd. Intussen voelen de kinderen zich in deze strijd gemangeld. Martijn, de oudste, wil niet meer naar de begrafenis van zijn vader.

Pas als Tineke duidelijk kan maken dat ze in haar rol als moeder de kinderen wil begeleiden en geen aanspraak doet op haar ex-partnerschap wordt Patricia iets toegankelijker. Ze praat erover met Martijn en merkt diens behoefte aan zijn moeder.

Kinderen zijn loyaal aan hun ouders. Ze voelen zich gespleten wanneer ze moeten kiezen. Soms is niet-kiezen maar wegblijven de enige optie die ze kunnen bedenken. De naderende dood wil niet zeggen dat ex-partners ineens goed met elkaar kunnen communiceren. Vaak gaan de (verse of oude) wonden weer open en schieten ex-partners weer in hun oude patronen. In dergelijke situatie is het vaak raadzaam om een (onafhankelijke) derde in te schakelen die adviseert en de communicatie stroomlijnt. Dat kan bijvoorbeeld een vertrouwenspersoon zijn, een geestelijk verzorger of een maatschappelijk werker. Vooral voor de kinderen is het van belang dat juist nu het verleden opzij gezet wordt en vooral gekeken wordt naar het heden en de toekomst.

Irene woont sinds kort met haar dochter van vier en zoontje van twee apart van haar man Philip. De kinderen zijn om de veertien dagen een weekend bij hem. De scheiding is nog niet uitgesproken als blijkt dat Philip een ernstige vorm van longkanker heeft met uitzaaiingen naar de lever. Irene wil haar kinderen zo veel mogelijk ondersteunen. Ze probeert zich goed te informeren over hoe kinderen omgaan met een naderend afscheid en spreekt hierover met Philip. Hoe moeilijk de situatie ook is, hoe vers de wonden ook zijn, ze zijn het er samen over eens dat ze ditmaal de handen in elkaar moeten slaan om nog meer leed bij hun kinderen te voorkomen. Irene bespreekt met Philip de ideeën die ze al lezend opgedaan heeft over het betrekken van de kinderen.

Samen maken ze afspraken over zaken als thuis op-baren, begraven of cremeren en de inhoud en vorm-geving van het afscheid.

Uit het voorbeeld van Irene en Philip blijkt dat het ook anders kan, juist als de ex-partners, die nooit ex-ouders worden, elkaar vinden in het gezamenlijke belang van hun kinderen.

TIPS

- Informeer kinderen tijdig over wat er met je aan de hand is. Laat hen niet in het ongewisse. Dat maakt hen angstig en wantrouwend.
- Geef antwoord op hun vragen. Stem daarbij steeds af op het kind en geef niet te weinig maar ook niet teveel informatie. Ze komen wel terug wanneer ze meer willen weten.
- Vertel dat de ziekte niet besmettelijk is (bij de meeste ziekten is dat zo) en dat ze daarom niet bang hoeven te zijn om je aan te raken.
- Wees eerlijk. Kinderen willen serieus genomen worden en eerlijke antwoorden krijgen.
- Beloof kinderen niets dat je niet waar kunt maken. Zeg niet dat je zeker beter wordt of dat je partner niet zal overlijden.
- Vertel het zo dat kinderen het kunnen begrijpen. Gebruik geen moeilijke medische termen maar vertaal het in kindertaal en kinderbegrippen.
- Sluit de kinderen niet buiten je gevoelsleven. Laat hen delen in de emoties die er zijn.
- Zorg ervoor dat ondanks dokterbezoek, medische zorg, telefoontjes, bezoek van familie en vrienden er speciale momenten zijn waarop je ongestoord samen bent met de kinderen.

- Accepteer alle gevoelens die kinderen kunnen hebben. Er zijn geen goede of slechte gevoelens. De regel is dat ze zichzelf en anderen niet mogen kwetsen.
- Moedig kinderen aan om hun gevoelens te delen op hun manier.
- Hou er rekening mee dat gevoelens vaak niet redelijk of logisch zijn.
- Draag je eigen stress en spanning vanwege je ziekte zo min mogelijk over op je kinderen.
- Zorg ervoor dat dingen zoveel mogelijk doorgang vinden, dat er duidelijkheid en structuur is en dat gewoonten en rituelen waar mogelijk hetzelfde blijven.
- Verzeker de kinderen, dat wat er ook gebeurt, er voor hen gezorgd gaat worden. Maak dit zo concreet mogelijk door hen te informeren over wat er geregeld is. Dit is nog meer van belang in eenoudergezinnen.

INFORMATIEVE WEBSITES EN HULPMIDDELEN

Websites

De opsomming van websites is zeker niet uitputtend. Via sites als kanker.pagina.nl, kankerinfo.nl, ziekten.pagina.nl, gezondheid-dochters.pagina.nl, spierziekten.pagina.nl en rouwverwerking.pagina.nl is toegang te verkrijgen tot vele informatieve sites in binnen- en buitenland.

Achterderegenboog.nl
Dit is de site van Stichting Achter de Regenboog met informatie voor kinderen en jongeren die iemand (gaan) verliezen. Er is informatie voor verschillende leeftijden. Ook is er op enkele ochtenden in de week van 9 tot 11 uur de mogelijkheid om de hulp- en advieslijn te bellen.

Alscentrum.nl
Het ALS-centrum Nederland is een kennis-centrum op het gebied van amyotrofische lateraal sclerose (ALS).

Cerebraal.nl
Site van de vereniging Cerebraal voor mensen met een niet-aangeboren hersenletsel.

In-de-wolken.nl
Deze site is voor en over kinderen en jongeren die rouwen. Je kunt tips downloaden en boekjes en materialen bestellen.

Kankerspoken.nl
Een site voor kinderen en jongeren met informatie voor verschillende leeftijden en de mogelijkheid om met elkaar in contact te komen. Ook zijn diverse boekjes, video's en andere materialen via deze site verkrijgbaar.

Kwfkankerbestrijding.nl
De site van KWF Kankerbestrijding. Informatie voor patiënten en naasten over onder meer de nieuwste ontwikkelingen, preventie, behandeling, begeleiding en wetenschappelijk onderzoek.

Luchtpunt.nl
De site over COPD, de verzamelnaam voor chronische bronchitis en longemfyseem.

Palliatievezorg.nl en Palliatief.nl
Informatie over de zorg voor mensen in de laatste fase van hun leven.

Verliesverwerken.nl
Site van de Landelijke Stichting Rouwbegeleiding met veel informatie over rouw en de mogelijkheid om per mail of telefoon vragen te stellen.

Vokk.nl
Dit is de site van de Vereniging Ouders, kinderen en kanker. Ze hebben echter boekjes en materialen die ook in te zetten zijn wanneer een vader of moeder kanker heeft.

Vsn.nl
Site van de Vereniging Spierziekten Nederland

Materialen

Gezinnen waar een ouder kanker heeft
Gezinnen waar vader of moeder kanker heeft, kunnen via kankerspoken.nl of kwfkankerbestrijding.nl gratis het zogenaamde 'Rugzakje' bestellen. Er is een rugzakje voor kinderen tussen 6 en 9 jaar waarin onder andere het *Kankerwoordenboek* zit en de video *Storm*. In deze video praat Storm, een vogelhandpop met kinderen van wie een ouder kanker

heeft. Door samen naar de video te kijken, kan in het eigen gezin het gesprek over kanker en de gevolgen ervan gestimuleerd worden. Er is ook een rugzakje voor kinderen tussen 10 en 12 jaar. Daarin zit het *Kankerwoordenboek* en de video *Praatstoel*. Op kankerspoken.nl zijn korte stukjes uit de video te zien. Voor jongeren vanaf 12 jaar is er de dvd *Halte Kanker*. Daarin vertellen zeven jongeren, van wie een van de ouders kanker heeft, hun verhaal.

Bij de Vereniging Ouders, Kinderen en Kanker (www.vokk.nl) zijn boekjes verkrijgbaar over diverse behandelingen zoals *Chemo-Kasper* een prentenboekje over chemotherpie, *Prinses Lucie en de chemoridders*, en *RadioRobbie* over radiotherapie.

Kaartspelen

Er zijn veel kaartspelen te koop die je als hulpmiddel in het gezin kunt gebruiken om samen te praten over wat er gebeurt of om een hart onder de riem te steken. Enkele voorbeelden zijn: Knuffelkaartjes, Engelensymbolen voor kinderen en Eigenwijsjes. Ze zijn verkrijgbaar bij de (kinder)boekhandel of bij in-de-wolken.nl.

Handpoppen

Handpoppen kunnen helpen om met kinderen te praten over dingen waar ze niet over willen of kunnen praten. Zie folkmanis.de of in-de-wolken.nl.

Spel

Het spel 'Alle sterren van de hemel' kun je samen spelen in het gezin. Er is wel begeleiding bij nodig omdat het veel oproept. Zie ook allesterrenvandehemel.nl.

Armbandjes

Siliconen armbandjes zijn erg in bij kinderen en jongeren. Natuurlijk zijn er de gele 'Live strong' armbandjes. Daarnaast zijn er de zwarte 'Ik rouw om jou' rouwbandjes en de witte 'Ik zal je nooit vergeten' herinneringsbandjes. Zie in-de-wolken.nl.

ACHTERGRONDLITERATUUR

Boulden, J & Boulden J. (1995), *When someone is very sick*, Weaverville: Boulden Publishing.

Essen, I. van (1999), *Ik krijg tranen in mijn ogen als ik aan je denk*, Amsterdam: Sjaloom.

Fiddelaers-Jaspers, R. (1999), *Ik zal je nooit vergeten. Mijn boek met herinneringen*, Heeze: In de Wolken.

Fiddelaers-Jaspers, R., Klijn-Naessens, J. & Coenen., G. van (2002), *Naar een nieuwe horizon. Werk- en herinneringsboek voor jongeren*, Heeze: In de Wolken.

Fiddelaers-Jaspers, R. (2004), *Mijn troostende ik. Kwetsbaarheid en kracht van rouwende jongeren*, Kampen: Kok.

Fiddelaers-Jaspers, R. (2004), *Ik hou je nog even vast. Mijn herinneringsboek*, Kampen: Kok.

Fiddelaers-Jaspers, R. (2004), Natuurlijk met de kinderen. *Het Uitvaartwezen*, Augustus/september.

Fiddelaers-Jaspers, R. (2005), *Jong verlies. Rouwende kinderen serieus nemen*, Kampen: Ten Have.

Fiddelaers-Jaspers, R. (2005), *Veel gestelde vragen over kinderen en afscheid*, Kampen: Ten Have.

Fiddelaers-Jaspers, R. (2005), *Ik weet niet wat ik weten moet. Jouw vragen over doodgaan, begraven en cremeren*, Kampen: Ten Have.

KWF Kankerbestrijding (2002/2003), *Kanker... en hoe moet dat nu met mijn kinderen?*, Amsterdam: KWF.

McCue, K. (1994), *How to help children through a parent's serious illness*, New York: St. Martin's Griffin.

Prakken, J. (2001), *Kon ik toveren... Kinderen, ziekte en zorg*, Utrecht: NIZW.

Ruigrok, J. (1997), *Berichten aan de buitenwereld*, Rotterdam: eigen beheer.

Schlessel Harpham, W. (1998), *Hoe vertel ik 't mijn kinderen? Als een ouder kanker heeft*, Houten: Van Reemst Uitgeverij.

Schlessel Harpham, W. (1998), *'t Is niet eerlijk als een ouder kanker heeft*, Houten: Van Reemst Uitgeverij.

Sloots, P. (2001), *Om jou mijn lief, om jou. Afscheid van Agnes. En dan... de rauwe rouw*, Tielt: Lannoo.

Snoeck, J. (2004), *Dit doe je kinderen niet aan. Het begeleiden van kinderen op bezoek bij een stervende*, Tielt: Lannoo.

Stichting Kinderen en Poëzie (2003), *Ik huil omdat ik een traan heb. Gedichten van kinderen over verdriet, afscheid en dood*, Amsterdam: DiVers.

DANKWOORD

Het boek *Als ik er niet meer ben* kwam tot stand dankzij medewerking van kinderen, jongeren en hun ouders die aan den lijve ervaren hebben wat het betekent om afscheid te moeten nemen en die bereid waren hun ervaringen te delen. Bedankt Amy, Anne, Anneke, Caroline, Elly, Eric, Floris, Geertje, Huub, Jan jr., Jan sr., Jeanny, Jolijn, Joost, Jordi, Joszi, Karin, Coen, Krijn, Laurien, Luuk en nog eens Luuk, Marco, Natasja, Puck, Robin, Roy, Ruud, Sabine, Sam, Sjoerd, Tessa, Yvonne en de gezinnen die anoniem wilden blijven.

Het boekje uit de kinderserie *Zonder jou* dat aansluit bij dit boekje is *Als jij er niet meer bent; wanneer je vader of moeder doodziek is.*

Als herinnering aan Ad, André, Evert, John, Marjan, Piet, Tiny en Wil.